Dear Deb and Bob:
With much love and afection
I dedicate this book,
hoping it will be a blessing
for you!

Laura López

¿QUÉ HAGO CON ESTE DOLOR?

LAURA LÓPEZ

¿Qué hago con este dolor?
por *Laura López*

Primera edición Septiembre 2019

Todas las citas bíblicas, excepto las especificadas son de la Santa Biblia Reina Valera v60.

Diseño de portada: Cynthia Osuna.
Edición a cargo de Margarita Chinchillas.
Diseño interior y maquetación: Pilar Palacios.

Primera Impresión, 2019

Contacto: autoralauralopez@gmail.com

ISBN: 978-1-943049-29-5

Impreso en México.

CONTENIDO

DEDICATORIA

Quiero dedicar este libro a la hermosa familia que Dios me dio.

A mi esposo Mike, quien ha sido mi máximo soporte durante mis pérdidas, me ha acompañado a lo largo del camino de la vida, 46 años de casados más dos de novios; definitivamente que sin Dios y sin mi esposo, no hubiera podido sobrellevar estos procesos.

A mis amados hijos, Viviana y Rodrigo, los cuáles le dieron sentido y propósito a mi vida, y fueron mi mayor motor para querer avanzar hacia mi recuperación después de la muerte de su hermano. Nos sentimos muy afortunados y más que bendecidos su papá y yo de que Dios nos haya escogido para ser sus padres, por permitirnos ser ese instrumento de sanidad a sus vidas. Juntos atravesamos el valle de sombra de muerte y llegamos al otro lado; completos, ¡más fuertes y más unidos que nunca!

Dios nos bendijo con dos hijos más y dos hermosísimas nietas. Viviana se casó con Abraham un hombre maravilloso, un hombre de Dios, nos hicieron abuelos de dos princesas hermosas que nos alegran el corazón y la vida con su dulzura y amor. Rodrigo se casó con Amanda, una joven hermosa por dentro y por fuera, que vino a añadir alegría a nuestra familia. Nuestras vidas están llenas y completas con cada uno de ustedes.

A mi Omar que fue quién inspiró este libro, quién a sus cortos veintiún años de vida dejó una huella imborrable en nuestros corazones, vivió su vida al máximo y disfrutó cada minuto de ella. ¡Nos vemos en el cielo mi amor!

¡A Dios! Mi héroe, mi consolador, mi amigo fiel, mi consejero, mi fortaleza, mi ayudador, mi alto refugio, mi salvador, mi rey y mi Señor; por sanar mis heridas, por hacerme de nuevo y por tanto amor, *¡GRACIAS!*

AGRADECIMIENTOS

Primero que nada, quiero darle gracias a DIOS, por atravesar conmigo el valle de sombra de muerte y sacarme al otro lado del duelo completa y sana; al Señor Jesucristo por pagar el precio en la cruz, para hacer posible la sanidad y restauración de nuestra familia. Sin Él ¡este libro no habría sido posible! Por su paciencia y amor absoluto, por restaurar mi vida, mi matrimonio y mi familia, *¡MUCHAS GRACIAS!* No hay nadie que pueda hacer las obras que Dios hace.

Gracias a mi esposo Mike, que todo el tiempo estuvo orando conmigo para que se llevara a cabo este proyecto, por su inmenso amor, por inyectarme el ánimo para escribir, por creer en mí y por ser mi mayor porrista, ¡te amo como no te imaginas!

Gracias a mis hijos, Viviana y Rodrigo por hacer de mi vida algo especial, de hacer de mi caminar por esta tierra algo bello y digno de vivir. Gracias por compartir y permitirme incluir sus experiencias en este libro. Por su amor y apoyo absoluto, ¡los amo con todo mi corazón!

Gracias a mis nietas hermosas, Viviana Bella y Alexa Victoria, que, sin ellas saberlo fueron un regalo de Dios para traer sanidad y alegría a mi vida.

Gracias a mi yerno querido, Abraham Mayorquín, que más que un yerno es un hijo para mí, gracias por tu apoyo y amor. ¡Eres el mejor yerno que alguien pueda tener!

Gracias a mi nuera querida, Amanda Morrison, que trajo de nuevo alegría y vida a nuestro hijo Rodrigo, tu vida es muy valiosa para nuestra familia, ¡te amamos Amanda!

Gracias a mis queridos hermanos que han estado con nosotros apoyándonos y cuidándonos siempre. Gracias Yoly y Alberto, Norma y Adalberto, Raúl y Martha, ustedes han sido piezas claves en nuestra vida y en nuestra recuperación.

A mis queridos amigos, Héctor Esquer y Mara Durán, que me alentaron a escribir mi historia; gracias por no dejarme en paz a lo largo de los años que me tomó hacerlo, por preguntarme cómo iba, por animarme cuando me dolía escribir y recordar, por revisar mis escritos y ayudarme a corregir, por su tiempo y amor hacia este proyecto en el cual creyeron sin dudar, su apoyo y amor han sido invaluables. ¡Muchas gracias!

A mis queridas "Amigas punto com", Vivian Nieto, Gloria Vásquez, Rossy Rivera, por acompañarme a lo largo de mi recuperación, por nuestras largas conversaciones cargadas de lágrimas y risas, por su apoyo incondicional y por estar siempre presentes cuando las he necesitado, ¡muchas gracias!

A nuestros pastores y amigos José y Michelle Mayorquín, por todo su apoyo y amor durante todos estos años, ¡Muchas gracias!

Gracias a Daniel y Cynthia Osuna, por sus consejos, por su ayuda desinteresada hacia este proyecto, por su tiempo y aportación que han sido muy valiosos, ¡no se imaginan cuánto!

Muchas gracias a Margarita Chinchillas y Pilar Palacios por embellecer este escrito, su toque muy único y especial le han dado el marco perfecto para que este libro sea de la mejor calidad.

A mis queridos amigos que con tanto amor colaboraron con el financiamiento, las fotos y la promoción de este libro. ¡Muchas gracias!

Gracias a Karla Sabina Uribe, que sin conocerme aceptó trabajar en este proyecto. ¡Has sido una bendición enorme!

Por último, quiero expresar mi gratitud a todas las personas que han estado conmigo en el trayecto de mis pérdidas, por escucharme, amarme, ayudarme, consolarme, por permitirle a Dios usar su vida para bendecir la mía, por orar por mí y mi familia, por estar ahí siempre para nosotros; gracias por tocar nuestra vida en maneras que ni siquiera se pueden imaginar. A toda nuestra familia y amigos, *¡MUCHAS GRACIAS!*

PRÓLOGO

Pensar que la gente a la que amamos pudiera dejar de existir nos pone la piel de gallina, pues desde niños no nos enseñan a convivir con la idea de que la muerte es un proceso natural que forma parte de la vida, y aunque así fuera, la realidad es que nunca estamos preparados para enfrentarlo.

El libro de Laura atrapa, regala sonrisas, te envuelve de nostalgia, pero también te llena de esperanza, esto es por la manera que descubre y comparte que la vida tiene sentido, que el corazón puede ser restaurado después de vivir el dolor de perder a un ser tan amado y esperado como un hijo, de estar buscando salir adelante y recibir golpes igual de duros, llueve sobre mojado, pero ¿saldrá el sol?

¿Cómo será ahora la vida? —lo que nos queda de ella—, ¿cómo se sentirán los días?, ¿Cómo el peso de este inexplicable dolor podrá aligerarse, aunque sea un poco? Son algunos pensamientos que navegan en la confusión de nuestra cabeza cuando recibimos la noticia de la muerte de un ser querido. Sensaciones como el dolor de la pérdida, el vacío que no se llena con nada, un silencio sin respuesta, un hueco tan profundo que convierte el futuro en una imagen borrosa, nos atrapan en un laberinto que parece no tener salida, es como una tormenta que no termina.

Sé que no existe nada que supla la ausencia, ni tampoco nadie que entienda la profundidad del dolor ante la pérdida de un ser amado.

Nunca es fácil salir del estancamiento, quitarnos el polvo, sentir la frescura del amor y continuar creyendo que la vida merece la pena, que existe un por qué, un para quién, un cómo, un dónde; para seguir dando pasos firmes y sentirnos seguros en medio de tanto caos.

La historia de Laura es escrita desde su corazón con un bolígrafo de amor. En medio de la nada, envuelta de la angustia, en la sombra del dolor; ella encuentra el camino a la esperanza, descubre que puede volver a sonreír y abrazar con amor, ese rayo de sol que llega directo a su corazón a través de la incomprensible paz que solo Dios otorga. Laura se deja abrazar por ello, encuentra respuesta a sus dudas y cobijo a la desolación que vive. De la mano de Dios logra transformar su tristeza en gozo y su debilidad en fortaleza. Cada página es una oportunidad que nos abre caminos, que nos lleva a entender el verdadero significado de la vida, del adiós, no solo aborda cómo enfrentar el proceso del duelo también brinda la perspectiva de saber qué hacer o qué decir cuando no sabemos cómo apoyar a los que atraviesan por esta dolorosa experiencia.

Laura nos transmite que la presencia de Dios es tan real, que es una extensión de Su amor hacia nosotros aún a través de los que ya no están físicamente. Nadie posee todas las respuestas a nuestras dudas, pero Dios sí. No sabemos por qué las experiencias son así, pero Él está al tanto de cada instante de nuestra vida.

Recibe consuelo desde el corazón de una madre que aprendió a extender sus brazos para recibir el amor de Dios lejos de la incertidumbre y el enojo, para transformarlo en ese amor que hay en el corazón de los dolientes, reconociendo que solos no podemos, pero sí de la mano de Dios.

Este libro me abrió los ojos a una realidad que no contemplaba, aprender a callar y escuchar lo que tienen o quieren hablar los familiares sobre la persona que se ha ido. Recordar que a pesar de tanto dolor Dios está con nosotros.

Mara Durán

Psicóloga,
Máster en Terapia Breve.

INTRODUCCIÓN

Este libro nació de la necesidad de compartir mis emociones. De expresar a través de lo escrito mis experiencias vividas, el camino que he recorrido, todo lo que Dios ha hecho en mi corazón y en mi vida a partir de la muerte de mi hijo.

El camino ha sido largo y de mucho aprendizaje, no ha sido nada fácil. Lo escribí a lo largo de los años. Al principio, fue muy difícil recordar los acontecimientos dolorosos, era como volver a vivir la experiencia. Lo tenía que dejar en pausa, pues las heridas eran aún muy profundas, estaban muy frescas.

Le doy muchas gracias a Dios por ayudarme a finalizar este proyecto, que estoy segura va a ayudar a todas las personas que lo lean, hayan sufrido una pérdida o no. Si hay algo seguro en esta vida es la muerte, y es importante saber qué esperar, qué hacer y qué no hacer después de una pérdida; qué decir y qué no decir a una persona que está pasando por el terrible dolor de la muerte de un ser querido.

Después de la muerte de mi hijo, he tenido la oportunidad de hablar con muchas personas, que han pasado por este mismo dolor, veo la necesidad de ofrecerles esperanza y una guía que los oriente en el proceso de superar su propio duelo.

He visto a muchas personas atoradas en alguna o varias etapas del duelo, sobreviviendo y desperdiciando su vida, sintiéndose incompletos y estropeados; conozco esos sentimientos, es por eso que siento la necesidad de compartir lo que Dios puede, y quiere hacer en la vida de una persona que se lo permita. No tenemos por qué permanecer en el dolor, en la tristeza, en la culpabilidad, en el enojo. Dios quiere restaurar tu corazón roto, Él quiere sanar tus heridas y sacar tu vida del pozo de la desesperación.

Sin duda, es Dios, su Espíritu Santo nuestro consolador, Él nos consuela para que nosotros podamos consolar a los que estén pasando por el mismo dolor.

> *"Bendito sea el Dios y Padre de nuestro Señor Jesucristo, Padre de misericordias y Dios de toda consolación, el cual nos consuela en todas nuestras tribulaciones, para que podamos también nosotros consolar a los que están en cualquier tribulación, por medio de la consolación con que nosotros somos consolados por Dios". 2Corintios 1:3-4*

Escribir mi experiencia me ayudó a poner en orden mis pensamientos; ponerles nombre a mis sentimientos y poder ver a Dios en todos mis procesos de duelo.

Él siempre ha estado a mi lado guiándome, consolándome, sanándome, fortaleciéndome, restaurándome de principio a fin. ¡El amor, la misericordia y la fidelidad de Dios no tienen límites!

> *"Con sus plumas te cubrirá, y debajo de sus alas estarás seguro". Salmos 91:4 RVR1960*

> *"Más yo en tu misericordia he confiado; mi corazón se alegrará en tu salvación." Salmos 13:5 RVR1960*

"Ciertamente el bien y la misericordia me seguirán todos los días de mi vida". Salmos 23:6 RVR1960

La palabra de Dios ha sido la luz que me ha guiado al atravesar este valle de sombra de muerte, ha sido el mejor alimento para mi alma, el bálsamo para sanar mis heridas, y el consuelo para mi corazón. Dios a través de su palabra ha llenado el vacío que nada ni nadie más hubiese podido llenar.

¡Definitivamente Dios me llevó del dolor a la esperanza!

"He aquí que yo les traeré sanidad y medicina; y los curaré, y les revelaré abundancia de paz y de verdad". Jeremías 33:6 RVR 1960

El propósito de esta obra es que te puedas identificar con alguna parte de lo aquí escrito y puedas hacer uso de las experiencias del relato, para poder atravesar tu duelo de una forma sana y segura.

Le pido a Dios que te ayude en tu proceso, que te tome de la mano y te guíe en el camino hacia tu recuperación, que te consuele, que sane tus heridas, que llene el vacío que hay en ti, que puedas encontrar respuestas a tus preguntas y que te libere de cualquier sentimiento negativo que pueda estar atormentando tu vida.

Tú no estás solo(a) en esto, hay muchas personas atravesando el mismo valle. Estoy segura de que con la ayuda de Dios podrás salir adelante a pesar de tu pérdida. Dios puso este libro en tus manos para traer sanidad, libertad y esperanza a tu vida.

Te invito a viajar conmigo a través de estas páginas.

Parte UNO

Mi testimonio

CAPÍTULO UNO

UNA REALIDAD ADVERSA

ANTES DEL ACCIDENTE

En nuestra familia la muerte no era un tema de conversación, amábamos demasiado la vida como para hablar de ella; hasta que ocurrió el fatídico accidente del dos de enero de 2001 en el que perdió la vida nuestro querido hijo Omar. ¡En un segundo mi vida cambió para siempre!

Mi familia conformada por mi esposo Mike, mis tres hijos y yo. Viviana, mi hija mayor en ese tiempo tenía veintitrés años de edad; Omar, mi segundo hijo tenía veintiún años, y Rodrigo el menor doce años; vivíamos en la ciudad de San Diego, California.

Estábamos pasando por una crisis económica muy fuerte; teníamos tiempo batallando para solventar los gastos básicos del hogar; por lo que pensamos que lo mejor sería buscar trabajo en alguna otra ciudad menos cara para vivir que San Diego, California; ciudad que amamos, en la que nacieron mis tres hijos, y en la que teníamos veintiocho años viviendo. Viviana trabajaba en *San Diego State University*; Omar en el *Hospital Kaiser*; mi esposo en Construcción; Rodrigo iba a la escuela, y yo era ama de casa y quién llevaba a la escuela a Rodrigo y a Omar al trabajo. Nuestros hijos nos ayudaban con los gastos de la casa, pero aun así no nos alcanzaba.

Omar tenía dos años de haber regresado de Nápoles, Italia, después de seis meses de estar sirviendo en una misión cristiana. Él se enamoró de Italia y nos animaba a irnos un tiempo a servir como familia en esa misión. Entre las opciones que teníamos contempladas para el cambio estaban Tucson, Arizona y Las Vegas, Nevada. Nos pusimos de acuerdo como familia para orar y ayunar buscando la dirección de Dios para nuestro futuro.

Fue en diciembre del año 2000 que comenzamos a orar sobre ese cambio, y sabíamos que Dios contestaría en cualquier momento, cada mañana Omar me preguntaba, "¿será hoy?" Estábamos tranquilos a pesar de la crisis pues teníamos la seguridad de que Dios nos mostraría la salida en cualquier momento.

Llegó el 24 de diciembre y pasamos una muy feliz Navidad en nuestra casa, con mis hermanos y sus familias. La estrechez económica no nos impidió disfrutar de una rica cena en familia, de convivir y compartir anécdotas e historias familiares y de agradecerle a Dios por su hijo Jesucristo que era el motivo de la celebración.

El 25 de diciembre hicimos lo que acostumbrábamos a hacer por tradición: ir al cine, pues por lo regular ese día es lo único que se encuentra abierto y se estrenan buenas películas. ¡Recuerdo muy bien ese día! Fuimos a los cines *AMC Palm* y vimos la película "*Vertical Limit*"; nos sentamos todos separados porque el cine estaba lleno. Luego regresamos a casa a cenar el recalentado de la noche anterior, platicamos acerca de la película y de los planes que cada quién tenía para celebrar la despedida del 2000 y la llegada del 2001.

Omar fue el primero en despedirse ya que entraba a trabajar muy temprano al día siguiente. Nuestra espera en cuanto a escuchar a Dios continuaba, sin imaginar siquiera por un segundo lo que nos deparaba el 2001.

El 30 de diciembre me desperté con congestión en el pecho y gripe, así que no salí para nada ese día y el 31 teníamos planeado ir a la Iglesia como por años lo habíamos hecho; nos gustaba recibir el año nuevo en familia dándole gracias a Dios por el año que terminaba y poniendo en sus manos el año nuevo. Omar y Viviana eran parte del coro de la Iglesia; pasábamos un tiempo hermoso, cantando, orando, comiendo y conviviendo con nuestros amigos y familia.

En esta ocasión decidimos quedarnos en casa Mike, Rodrigo y yo pues no nos sentíamos muy bien. Viviana y Omar se fueron a la Iglesia con sus amigos.

El primero de enero del 2001 decidimos mi esposo Mike, Rodrigo y yo quedarnos en casa cuidando nuestra salud pues no nos sentíamos muy bien. Viviana y Omar se fueron con sus amigos, pasaron el día con Abraham –novio de Viviana–, y David –hermano de Abraham– y mejor amigo de Omar. Ellos vivían en Tucson y al día siguiente se regresaban, así que aprovecharon el día juntos. Esa noche se despidieron pensando que no se verían en algunas semanas.

Al siguiente día mi esposo y yo ya estábamos bien de salud. Omar había trabajado el turno de doce de la noche a seis de la mañana, estábamos todos dormidos cuando él llegó, se acostó a dormir y cuando despertó se puso muy contento de ver a su hermana en casa; ese día Viviana no trabajó, así que estuvieron platicando en su cuarto y luego estuvieron viendo la televisión juntos; de pronto Omar quería hacer algo, ir a las tiendas; pero Viviana no se sentía muy bien. Se le ocurrió que fuéramos a Tijuana a comer tacos a un lugar que nos gustaba mucho a todos, y nos preparábamos para salir cuando recordamos que ese día que era martes, cerraban la taquería. Ya resignados a no salir, nos pusimos ropa de dormir y nos fuimos todos a mi cuarto a platicar, estuvimos bromeando, Omar nos enseñaba algunas palabras básicas en Italiano “*hermana - sorella*”, “*hermano - fratello*”, “*hijo - figlio*”, “*buenos días - buongiorno*”, “*buenas noches - buona notte*”; los números, “*uno, due, tre, quattro, cinque, sei, sette, otto, nove, dieci*”; “*gracias - grazie*”; “*de nada - prego*”.

Él estuvo solo seis meses en Italia, pero aprendió bastante bien el idioma, así que nos enseñaba lo básico deseando que Dios nos enviara para allá. Estuvimos hablando del futuro maravilloso que nos esperaba en ese 2001 y finalmente nos despedimos con el habitual beso de buenas noches y cada quien se fue a su cuarto a dormir.

LA NOCHE DEL ACCIDENTE

Eran más o menos las nueve de la noche cuando tocaron el timbre de la puerta, Viviana abrió y para su sorpresa eran Abraham y David que por alguna razón no se habían ido esa noche a Tucson, así que mis hijos ¡felices! Omar y David decidieron ir al cine y Abraham se quedó de visita en casa mientras que ellos regresaban del cine.

Recuerdo a Omar asomarse feliz a mi cuarto y decirnos que iba a ir al cine con David, que nos veíamos en un rato, nos aventó un beso desde la puerta y se despidió con su habitual *"I love you"*. Mi esposo y yo seguimos acostados, yo leyendo y él viendo la televisión, pasó más o menos una hora cuando tocaron de nuevo a nuestra puerta, nos pareció muy extraño que alguien viniera a nuestra casa a esa hora (más o menos diez y media de la noche). Viviana abrió la puerta pues ella estaba abajo y escuchamos a José Mayorquin –nuestro Pastor, y hermano mayor de Abraham y David– gritando: "¡MIKE, MIKE!"

Mi esposo se cambió de ropa rápidamente y bajó corriendo, pues José no paraba de gritar su nombre; yo me levanté, me puse mi bata lo más pronto que pude pues sabía que algo terrible tenía que estar ocurriendo para que José gritara de tal forma. Bajé corriendo las escaleras, Abraham y Viviana estaban en la sala, Abraham no dejó salir a Viviana y tampoco quería que yo saliera; pero yo lo hice a un lado y salí, estaba muy oscuro afuera, yo vi entre sombras a varias personas afuera con José y mi esposo, pero solo me acerqué a José y le pregunté; "¿qué pasa?" Mi esposo estaba como un zombi y solo repetía: "no puede ser, no puede ser" en voz muy baja. José lloraba con mucho dolor, yo lo tomé de los brazos y le pregunté –"¿Qué pasó?"– Lo siguiente que escuché fue: "¡Omar está muerto!"

En ese momento yo sentí un impacto muy fuerte en mi estómago, como si me hubieran lanzado una bola de plomo gigante para destruirme, el impacto me impulso hacia atrás, alguien me detuvo para que no cayera de cabeza al piso, y lo único que salió de mi boca fue: "¡Noooooo!" Dentro de mí, pensé en ese momento, "esto no puede ser cierto, debe de ser una equivocación y yo voy a comprobarlo personalmente". Entonces le pregunté a José: "¿en dónde está?" José me dijo en donde estaba. Entré como pude a mi casa, mis piernas temblaban y una debilidad terrible se apoderó de todo mi ser; al entrar vi a mi hija Viviana de rodillas en el piso gritando: "¡Lo quiero de regreso, lo quiero de regreso!"

Sentía que estaba viviendo una pesadilla de la cual quería urgentemente despertar; eso no podía ser verdad, mi cabeza estaba muy aturdida, confundida, perdí el sentido de la realidad, no podía caminar bien, me golpeaba con los muebles, veía todo borroso, subí como pude a mi cuarto para cambiarme de ropa, para ir al lugar en el que estaba mi hijo, no encontraba mi ropa, daba vueltas en mi cuarto sin saber qué hacer, me puse lo primero que encontré, tomé el teléfono y le hablé a mi hermano, le pedí que por favor viniera a mi casa, que Omar estaba muerto.

Bajé las escaleras, le pedí a José que me llevara al lugar del accidente, él no me quiso llevar, me dijo que no permitían a nadie acercarse, el accidente había ocurrido a una cuadra de mi casa, yo no necesitaba que alguien me llevara, yo podía ir caminando, solo que no tenía fuerzas para dar un paso, le rogué que me llevara y no quiso. En ese momento caí desplomada en el sillón y perdí toda voluntad, era como un bulto viejo que no tenía ningún tipo de uso, listo para ser tirado a la basura, no tenía fuerzas para nada, veía gente entrar y salir a mi casa como en otra dimensión, no podía hablar, era como si mi corazón se hubiera detenido y solo mi cuerpo estuviera allí.

LA TERRIBLE REALIDAD

Dos horas más tarde llegó una mujer de la oficina del forense a confirmar la terrible realidad, nos entregó la cartera de Omar y nos dijo: "lo siento mucho, murió en la escena del accidente."

El dolor era insoportable, no me cabía en el cuerpo, no podía llorar ni pensar, solo clamaba a Dios en mi interior y le decía: "¡llévame a mí también, no soporto este dolor!"

Tengo recuerdos vagos de esa noche, imágenes no muy claras de lo que estaba sucediendo en mi casa; recuerdo que por un momento perdí el sentido y yo me veía recorriendo un túnel oscuro y frío, pensé que me estaba muriendo, – lo cual prefería a sentir ese dolor tan profundo y terrible – de pronto escuché que estaban orando por mí, eran varias personas, pero solo recuerdo la voz de nuestro querido amigo Héctor Esquer, que decía: "¡Regresa Laura, regresa!" Dentro de mí yo pensaba, cállate, no ores, ¡no quiero regresar! De pronto desperté, sin poder hablar, –pensé–, "¿porque no me dejaron morir?"

No sé cómo llegué a mi cama, no sé quién me llevó, si me quedé dormida abajo y alguien me cargó, no lo sé, solo sé que entre dormida y despierta, con los ojos cerrados, otra vez escuché que oraban por mí, eran muchas voces, no reconocí ninguna, de hecho, hasta este día no sé quiénes fueron (quizás las oraciones de tanta gente clamando por mí), trataba de abrir los ojos y no podía.

Algo más que recuerdo como si hubiera sido un sueño en esa madrugada, yo estaba en el baño y le reclamaba a

Dios, "¿Por qué, por qué?" "¡No entiendo porque estás permitiendo esto!" "Yo creo que tú tienes un plan con esto, tú lo puedes resucitar, tu palabra dice, que tú eres el mismo de ayer, de hoy y por los siglos, que los milagros que tú hacías en el pasado, son los mismos que haces hoy y harás mañana, también dice tu palabra que nos deleitemos en ti y que tú nos concederás los deseos de nuestro corazón, así que yo te pido hoy" "¡que hagas un milagro y resucites a mi hijo!" "¡Yo creo, estoy segura de que lo puedes hacer y te ruego que lo hagas!"

Sentí que Dios me tomó de los brazos, me sacudió y me dijo: "Yo puedo hacerlo, pero ¿te has preguntado si él quiere?"

En ese momento Dios me permitió sentir el cielo por un segundo, fue ¡tan hermoso, tan refrescante! Fue una sensación de paz con gozo, de seguridad y plenitud, de libertad del dolor y la tristeza, me sentía completa, llena de una alegría que yo jamás había sentido, fue un segundo solamente, pero ese segundo fue suficiente para darme cuenta de que ¡Omar estaba en el mejor lugar que podía estar!

> *"Oí una fuerte voz que salía del trono y decía: ¡Miren, el hogar de Dios que ahora está entre su pueblo! Él vivirá con ellos, y ellos serán su pueblo. Dios mismo estará con ellos, Él les secará toda lágrima de los ojos, y no habrá más muerte ni tristeza ni llanto ni dolor. Todas estas cosas ya no existirán más". Apocalipsis 21:3-4 NTV*

Pero en mi egoísmo de madre, hablé, le dije a Dios: está bien Padre, pero pregúntale si quiere regresar, si él no quiere, estará bien conmigo (que ilusa) ¡Cómo iba a querer regresar si yo misma quería estar allí! Después de ese trato que hice con Dios, me fui a acostar y pude dormir.

Nunca había sentido a Dios tan cerca, entendí la Escritura que dice que Dios está cerca de los quebrantados de corazón, mi corazón no podía estar más quebrado, y Dios no podía estar más cerca, yo lo podía sentir, hablar con Él era como hablar con una persona de carne y hueso que tuviera frente a mí.

> *"El Señor está cerca de los que tienen quebrantado el corazón; Él rescata a los de espíritu destrozado".*
> *Salmos 34:18*

LA PAZ QUE SOBREPASA TODO ENTENDIMIENTO

No recuerdo qué hora era cuando desperté, me sentía extrañamente bien, todo lo que yo había sentido en la noche anterior se había ido, esa sensación de incapacidad ya no estaba, de alguna manera que yo no entendía podía experimentar paz a pesar de la tragedia que estábamos enfrentando, recordé la Escritura que dice que Él nos da la paz que sobrepasa todo entendimiento, no podía haber otra explicación.

> *"No se inquieten por nada; más bien, en toda ocasión, con oración y ruego, presenten sus peticiones a Dios y denle gracias. Y la paz de Dios, que sobrepasa todo entendimiento, cuidará sus corazones y sus pensamientos en Cristo Jesús". Filipenses 4:6-7*

Viviana estaba dormida a mi lado en mi cama. De pronto escuché a alguien cantando abajo en la sala, me asomé y era mi esposo cantando: "*Tu Misericordia*" "Tu misericordia incomprensible es Señor, grande es tu amor por mí, no lo alcanzo a comprender". Era tan hermoso escucharle alabar a Dios en esos momentos de tanto dolor, ¡lo necesitábamos tanto! Todavía un poco aturdida me di cuenta de que no había sido una pesadilla, era real, nuestro Omar ya no estaba físicamente con nosotros, bajé sin pensarlo y me uní a mi esposo en la alabanza, unos minutos después Viviana también se unió a nosotros, pudimos agradecerle a Dios por la paz inexplicable que sentíamos, era como si Dios nos hubiese anestesiado el corazón, con una sensación de que todo iba a estar bien, ¡inexplicable!

El Espíritu Santo nos estaba preparando para lo que seguía. La noche anterior Rodrigo nuestro hijo menor que en ese tiempo tenía doce años, no había despertado a pesar de los gritos, llantos y gente entrando y saliendo de nuestra casa. Dios es tan bueno, que le dio un sueño profundo, ni mi esposo ni yo hubiéramos podido lidiar con su dolor y confusión esa noche.

A la mañana siguiente ya podíamos hacerlo. Rodrigo se asomó por las escaleras, sorprendido pues era un día de clases y no lo habíamos despertado para llevarlo a la escuela, mi esposo y yo subimos con él y lo sentamos en nuestra cama para darle la triste noticia.

Mi esposo le dijo: "hijo, tu hermano tuvo un accidente anoche", él nos veía fijamente sin preguntar nada, "se fue con el Señor, él está en el cielo" –le dije– comenzó a dar golpes a la cama con los puños cerrados, pateaba y lloraba con rabia y mucho dolor, lloró tanto que quedó sin fuerzas, acostado con los ojos perdidos en el techo solo nos preguntó: "¿iba solito?", "No, iba con David", –le contestamos–. No preguntó nada más, mi esposo y yo oramos por él, le pedimos a Dios que lo consolara y pusiera su paz, la misma paz que había puesto en nosotros; después de orar se tranquilizó; lo llevamos a su cuarto, le pregunté si tenía hambre y me contestó que sí, bajé a prepararle el desayuno, se lo subí, le prendí la televisión; por lo menos se había calmado, por lo cual le dimos muchas gracias a Dios; no hubiéramos podido soportar tener que lidiar con su dolor en ese momento, ¡nosotros no sabíamos qué hacer con el nuestro!

Un poco más tarde llegaron mis hermanos con mi mamá, mi mamá me abrazó llorando inconsolable, lloraba tan fuerte que podía sentir un desgarramiento en su estómago, me preocupó y le pedí que se calmara, que le podía hacer daño, ella solo me decía "sé lo que estás sintiendo, sé cuánto te duele". Cuando ella estaba embarazada de mí, murió su segunda hija de leucemia a la edad de tres años, mi mamá hablaba muy poco de ella y de su muerte; lo que yo sabía era que mi mamá se había perdido en la ciudad de México el día que murió mi hermanita, que salió a caminar y no la encontraban, que estaba tan trastornada por el dolor de la muerte de su hija, que por unas horas no supo de ella, ¡claro que podía entender mi dolor!

DIOS ENVIÓ A SUS ÁNGELES A SERVIRNOS

Dios nos envió un ejército de ángeles a servirnos de una manera que jamás habíamos visto ni experimentado, familia y amigos preciosos con los cuales estaremos agradecidos toda la vida. Se organizaron de una manera increíble para traer comida, para estar ahí para atendernos y para atender a las personas que llegaban a darnos el pésame, recuerdo a una amiga querida que no permitía que nadie subiera a nuestras recámaras cuando estábamos arriba, ella cuidaba nuestro descanso y privacidad, nunca la voy a olvidar, era como un guardia en las escaleras.

Gloria Vázquez que había estado en varias ocasiones compartiendo su testimonio de la pérdida de sus dos hijas en mi casa y en nuestra Iglesia, acababa de llegar de la ciudad de México a vivir a San Diego, no pudo ser más oportuna su llegada, yo sabía que si había alguien que me podía entender y hablar con autoridad del tema era ella, ¡fue un gran consuelo para mi familia!, ella no faltó un solo día a mi casa con su guitarra en mano, cantando alabanzas a Dios en la sala, ¿casualidad? No lo creo, Dios en control de todo.

No puedo nombrar a todas y todos los amigos y familia que participaron en sostenernos casi por un mes, de todo a todo, unas amigas limpiaban, otras lavaban, otras atendían a las visitas, otras coordinaban quien traería la comida, y no hubieran parado de hacerlo si nosotros no les hubiéramos pedido que pararan. Necesitábamos procesar nuestro dolor solos los cuatro; pero su amor y cuidado lo guardamos en nuestro corazón y les estaremos agradecidos toda la vida por lo que hicieron.

PROVISIÓN SOBRENATURAL

De una manera milagrosa, nos llegaban sobres con cheques y efectivo sin nombre, ¡Gracias, muchas gracias! A todas esas personas anónimas que nos bendijeron económicamente en un momento en que tanto lo necesitábamos. La familia de mi esposo se encargó de todos los gastos funerarios, mi familia aportó económicamente para lo que se nos ofreciera, otros amigos nos llevaban tarjetas de consuelo con ofrendas económicas muy generosas, no nos cabía la menor duda de que Dios estaba en control de todo y de que ¡su amor por nosotros era muy grande!

Nuestra hija Viviana tomó las riendas de todo, a pesar de su dolor, ella se encargó de escoger la funeraria y organizar todo lo que allí ocurriría; mi esposo y yo no teníamos cabeza para nada.

Dios estaba en cada detalle; recuerdo que llegó a nuestra casa una amiga de Omar y nos preguntó qué haríamos con su cuerpo, solo me encogí de hombros, no sabía que haríamos, ella de una manera muy delicada y respetuosa me dijo que en una ocasión entre amigos habían platicado acerca de la muerte, Omar les había dicho que él quería que lo cremaran y tiraran sus cenizas al mar; me sorprendí mucho de que él hubiera hablado de eso, y lo guarde en mi corazón, al día siguiente otra amiga de Omar, nos dijo lo mismo, ellas no se conocían entre sí, así que les creímos, eso ya nos facilitaba la decisión de qué hacer con su cuerpo.

Por alguna razón que yo desconocía, David el mejor amigo de Omar y que manejaba el auto el día del accidente no se había presentado en nuestra casa esos días, él era un hermano para Omar, era parte de nuestra familia, y yo lo quería ver, necesitaba verlo, pregunté por él desde el día del accidente; José me dijo que estaba golpeado, que lo habían llevado al hospital pero que dentro de lo que cabía estaba bien. Así que pensé que quizás estaría aún en el hospital. El jueves mi esposo preguntó por él, le dijeron que ya estaba en su casa pero que no quería salir, yo pedí que lo trajeran a nuestra casa, pero David no quería ver a nadie, así que decidimos ir nosotros.

Cuando llegamos a su casa, estaban varios amigos en común de Omar y David en la planta baja, muy tristes, los abrazamos y después subimos al cuarto de David, estaba en su cama tapado, su cara reflejaba mucho dolor y enojo, cuando nos vio lo primero que hizo fue pedirnos perdón —"¡tú no tuviste la culpa!"—le dijimos Mike y yo, —"¡no te sientas culpable, pues no lo eres!" Lo abrazamos y le pedimos que se levantara y que nos acompañara al día siguiente a la funeraria, que era muy importante para nosotros que estuviera presente como parte de nuestra familia, le pedimos que perdonara a los jóvenes que de alguna manera provocaron el accidente, nosotros sabíamos, estábamos seguros de que las circunstancias de la muerte de Omar no fueron sorpresa para Dios.

Sabemos que el día de nuestro nacimiento, así como el día de nuestra muerte están escritos por Dios, y que ¡a Él no se le escapó de las manos ese accidente! Jamás le dimos crédito al diablo por ese acontecimiento. Conocemos las Escrituras y en esos días cobraron vida como nunca antes en nosotros, sabíamos que Dios tenía cada día de la vida de Omar escrito en su libro, y Omar no se iría ni un día antes ni un día después del que Dios había determinado para él aquí en la tierra.

> *"Me viste antes de que naciera. Cada día de mi vida estaba registrado en tu libro. Cada momento fue diseñado antes de que un solo día pasara". Salmos 139:16 NTV*

No había culpables, aunque parte del duelo por una pérdida de ese tamaño es buscar un culpable. ¿Acaso culparíamos a Dios por su muerte? – ¡Jamás! – Por el contrario, ¡en nuestro corazón solo había agradecimiento para Dios! Él tuvo misericordia de mi esposo y de mí, a pesar de tres diagnósticos médicos que decían que yo no podría tener hijos nunca. Dios me concedió la dicha de ser madre de tres seres maravillosos que le dieron sentido a mi vida, que me enseñaron a ser mamá y me dieron inmensas alegrías, ¡mucho, pero mucho agradecimiento para Dios era lo que había en mi corazón!

ACONTECIMIENTOS PREVIOS AL FUNERAL

El accidente ocurrió el martes dos de enero de 2001, pero no nos entregaron su cuerpo hasta el día cinco que era viernes; todo se organizó para tener un servicio de celebración ese día. Recuerdo que mis sobrinas y Viviana pasaron un buen tiempo escogiendo fotos; Viviana quería que alguien fuera a peinar a Omar, pero quería que lo peinaran como a él le gustaba, yo no conocía personalmente a la joven que le cortaba el cabello; pero Omar me había hablado de ella muchas veces, –Lucy es su nombre– le caía muy bien y platicaban mucho cuando iba a que le cortara el cabello, siempre llegaba muy guapo del salón de belleza, yo sabía a qué salón de belleza iba, y decidí ir a buscarla para que ella lo peinara, cuando llegué se acababa de enterar de lo ocurrido y estaba en un cuarto atrás del salón, totalmente devastada, me llevaron con ella, lloramos abrazadas un buen tiempo, "me hubiera gustado conocerte en otras circunstancias" – le dije – y le pedí de favor que fuera a la funeraria a peinar a Omar, ella no se pudo negar (no sé cómo me atreví a pedirle eso) desde ese día hasta hoy existe una linda amistad y una conexión con ella.

Hablar con Dios era tan real y fácil en esos días, era como si mi esposo, mis hijos y yo estuviéramos íntimamente conectados el uno con el otro y a la vez con Dios, de alguna manera sabíamos, estábamos seguros de que el viernes que tendríamos el encuentro con el cuerpo de Omar en una ceremonia familiar en la funeraria sería algo hermoso y trascendental.

Se planeó tener dos servicios en la funeraria, uno para la familia y los amigos más íntimos y otro para todo aquel que quisiera acompañarnos. No sabíamos qué esperar al ver por primera vez después del accidente el rostro y cuerpo de nuestro amado Omar.

La funeraria estaba hermosamente decorada con motivos navideños ya que acababa de pasar la Navidad, era como una casa hermosa, acogedora y, al entrar, la encargada del lugar me dijo apuntando hacia uno de los cuartos – allí está tu hijo – sin pensarlo me dirigí hacia el cuarto que ella me señaló y me fui directamente al ataúd que estaba abierto. El rostro hinchado, sin vida de Omar mostraba el impacto que había recibido, le toqué la nariz que era lo único de su rostro que se parecía a él, parecía tener algo de vida. Viviana se acercó y las dos observábamos ese cuerpo y cara sin vida; estaba nítidamente vestido con su traje negro y peinado como a él le gustaba, el olor de su perfume favorito estaba ahí (hasta este día reconozco ese olor desde lejos) quise abrirle la camisa para ver su cuerpo, pero mi esposo se acercó y me preguntó: – "¿qué haces? déjalo mujer" – y solo puse mis manos al lado de su costado y pude sentir su cuerpo acartonado, como una caja vacía; en ese momento comprobé lo que dice la Escritura acerca de la muerte:

> *"Ausente del cuerpo, presente con el Señor". 2Corintios 5:1-8 NTV*

Omar ya no estaba en ese cuerpo; ese cuerpo fue solo el estuche en el que él se movía aquí en la tierra, pero su espíritu estaba ya con el Señor, con su Creador; él estaba disfrutando de la presencia de ese ser tan maravilloso que le dio la vida y ¡le permitió disfrutarla al máximo! Viviana y yo nos volteamos a ver y no pudimos sino sonreír, nos comunicábamos sin palabras, las dos sabíamos, estábamos seguras de que nuestro querido Omar estaba con Jesús, ¡su Salvador! En ese ataúd solo estaba el estuche, así que pasamos a sentarnos con la paz de saber que lo que Dios dice en su Palabra es verdad, lo pudimos comprobar.

La familia comenzó a llegar; hermanos de mi esposo y míos, nuestros sobrinos, amigos, era una reunión familiar muy especial, sin saberlo ni planearlo estábamos allí para celebrar la vida de Omar, el cuarto con una capacidad de trescientas personas estaba casi lleno. Hermosas flores decoraban el cuarto, mi sobrina Isela se había encargado de escogerlas y traerlas; mi amiga Gloria llegó con su guitarra en mano y entonó unas lindas alabanzas a Dios; José nuestro querido amigo y pastor, dirigió el servicio, pasó a los primos de Omar a decir unas palabras y fue hermoso escuchar como todos se sentían amados por él, cuán especiales les hacía sentir cuando compartían tiempo con él, pasaron mis hermanas y primas, todas afirmaban lo mismo, que cada una de ellas creía que era la tía favorita de Omar, pues así las hacía sentir, muy especiales y para él lo eran, Omar amó sin límites y tenía siempre una palabra de apreciación para cada persona que conocía; él podía ver lo profundo en el corazón de las personas, no se dejaba impresionar por las caretas que muchas veces ponemos para tratar de ocultar el dolor y la necesidad de amor y atención, carencias que nos hacen comportarnos como las personas que no somos.

¡Con razón tenía tantos amigos! ¿Quién no quiere estar al lado de alguien así? A mí misma me hizo sentir bien muchas veces cuando estaba pasando por un mal momento. Cuando por alguna mala decisión que había tomado estábamos todos pagando las consecuencias y yo lloraba arrepentida, él me decía que todo iba a estar bien, que no fuera tan dura conmigo misma, con sus palabras me sacaba de mi auto lástima y culpa, me animaba a seguir adelante. Nunca me criticó ni me condenó por mis malas decisiones.

Había mucha y muy buena comunicación entre nosotros, podíamos platicar de todo con confianza y sin temor a ser juzgados ni criticados, con la confianza de dos personas que se aman y se apoyan. Tenía la capacidad de hacerme reír a pesar de las dificultades que estuviéramos enfrentando.

Recuerdo que al terminar el tiempo que podíamos estar en la funeraria, Leobanna, prima de mis hijos, pasó al frente, habló unas lindas y sinceras palabras a todos los que allí estábamos presentes, recordó (así como los otros primos), que jamás olvidaría los abrazos sentidos y apretados que Omar daba, terminó diciéndoles a todos sus primos que los amaba, los mencionó a cada uno por nombre y les dijo que de ese día en adelante abrazaría muy fuerte a todos sus seres queridos y les diría ¡Te amo! Algo muy típico de Omar.

Había una nube de amor imposible de describir, flotaba en el aire, nadie nos queríamos salir de allí, era como si estuviéramos en una burbuja de amor, no había llanto ni tristeza, había una presencia de Dios tan palpable que no había lugar para sufrir.

Salimos de ese lugar llenos, eso no parecía un funeral, más bien era una celebración de vida, de la vida de nuestro Omar; contamos anécdotas y experiencias que cada uno habíamos vivido con él, nos reímos de las experiencias chistosas, como bien dicen, recordar es volver a vivir, revivimos muchos momentos hermosos que pasamos juntos, nos despedimos con un "Te amo" y "hasta mañana", pues todos volveríamos a reunirnos en ese lugar al día siguiente, algunos nos fuimos a cenar juntos y seguimos platicando de la vida de Omar.

Era emocionante ver lo que Dios estaba haciendo en la familia y con nuestros amigos, como Él consolaba nuestros corazones y nos permitía sentir ese amor sobrenatural e incondicional. No podíamos esperar al día siguiente, sabíamos que Dios haría milagros, seguiría sanando y llenando nuestros corazones. Pudimos dormir y descansar, recordando lo que habíamos vivido esa noche en la funeraria.

SEGUNDO DÍA EN LA FUNERARIA

El Sábado por la mañana Viviana salió muy temprano pues se vería con el grupo de alabanza de la Iglesia para ensayar los cantos que entonarían esa noche; ultimó los detalles (que eran muchos); mi tía Consuelo llegó de la ciudad de México para estar con nosotros, lo cual le agradecí mucho, ella nos abrazó y entre lágrimas nos dijo que lo sentía mucho y nos preguntó en qué podía ayudarnos (muy sabio de su parte) es lo mejor que puedes decir en un momento así, por lo regular alguien que no ha pasado por algo así, no sabe qué decir y termina diciendo cosas que no ayudan, como:

"Él ya está descansando"; "tienes otros hijos"; "un día lo volverás a ver"; "tienes que ser fuerte para tus hijos"; "él está con Dios"; "Dios lo necesitaba en el cielo"; personas muy bien intencionadas, pero cuando has perdido a un ser tan querido, ninguna de esas palabras te consuela, es mejor solo abrazar muy fuerte a la persona y preguntarle: "¿en qué te puedo ayudar?" Simplemente estar allí acompañando a la familia.

Ya queríamos que fuera la hora de ir a la funeraria, era una emoción indescriptible, sabíamos, estábamos seguros de que Dios tenía algo especial para todos los que estaríamos presentes, nos arreglamos y nos fuimos, al llegar me preguntaron si queríamos tener el ataúd abierto, les dije que no, que prefería que lo recordaran como era, pues su rostro estaba tan hinchado que no se parecía, pusieron un arreglo floral hermoso sobre la caja cerrada.

Nos sentamos enfrente y las personas comenzaron a llegar, cada persona que llegaba, que no había estado la noche anterior, se acercaba a nosotros llorando y nos daba el pésame. Yo comencé a sentirme muy agobiada y abrumada, sentía que me ahogaba y me salí del cuarto, me fui al baño a respirar, no quería ver caras largas, quería sentir el ambiente de la noche anterior. Entró una amiga al baño y nos pusimos a platicar un buen rato, cuando de pronto tocaron a la puerta, era Rodrigo, que lo mandaron por mí porque ya iba a dar comienzo la celebración. Al salir del baño no podía creer lo que veía, apenas pude atravesar el recibidor para entrar al cuarto; yo no entendía qué había pasado en el tiempo que estuve en el baño, de dónde había salido tanta gente, el cuarto estaba lleno a su capacidad y había gente parada en todo el rededor del cuarto; el recibidor estaba lleno, gente tratando de entrar pero ya no había espacio; a muchas de las personas que estaban allí yo no las conocía, pero eran personas que Omar sí conoció e impactó de alguna manera su vida. Mucha gente se quedó afuera de la funeraria pues no cabía una sola persona más adentro.

Comenzó la celebración, en verdad que eso parecía una fiesta. El grupo de alabanza estaba listo en la tarima, José como maestro de ceremonias dirigiendo todo, la presencia de Dios no podía ser más palpable. Hubo tres personas, amigos de Omar y Viviana que cantaron canciones que a Omar le gustaban; dos de ellas viajaron de muy lejos para estar con nosotros, cómo los amo y les agradezco su participación en esa celebración. Viviana le pidió a Cristina –una de sus amigas– que cantara la canción de Mariah Carey, "*One Sweet Day*" (Un Dulce Día). Nunca olvidaré esa canción y lo que la letra de ella movió en nuestros corazones fragmentados.

LETRA DE LA CANCIÓN

«Siento no haberte dicho nunca, todo lo que te quería decir, y ahora es demasiado tarde para abrazarte, pues has volado lejos, tan lejos.

Nunca habría imaginado vivir sin tu sonrisa, sentir y saber que me escuchas me mantiene viva. Viva. Y sé que estás brillando sobre mí en el cielo, como tantos amigos que hemos perdido a lo largo del camino... Y sé que algún día volveremos a estar juntos. Un dulce día.

Y esperaré pacientemente para verte en el cielo. Cariño nunca te mostré. Asumí que siempre estarías allí, y yo pensaba que estarías para siempre, pero siempre me preocupé... Y echo de menos el amor que compartimos... Y sé que estarás brillando sobre mí desde el cielo, como tantos amigos que hemos perdido en el camino. Y sé que volveremos a estar juntos. Un dulce día. Sabes que lo sé, si, esperaré pacientemente para verte en el cielo. Aunque el sol nunca brille de la misma forma, siempre buscaré un día más brillante.

Señor, sé cuando me acuesto para dormir, que siempre escuchas cuando oro.

Y sé que estás brillando sobre mí en el cielo como tantos amigos que hemos perdido a lo largo del camino, y sé que algún día volveremos a estar juntos. Un dulce día. Y sé que estás brillando sobre mí en el cielo, como tantos amigos que hemos perdido a lo largo del camino, y sé que algún día volveremos a estar juntos. Un dulce día.

Pacientemente esperaré para verte en el cielo.

Siento no haberte dicho nunca todo lo que quería decir.»

Sé que la letra de esa canción trajo mucha reflexión a todos los que la escuchamos. Cuántas veces damos por hecho que nuestros seres queridos saben que los amamos y a veces sentimos el deseo de decirles, pero lo postergamos pensando que estarán siempre a nuestro lado, o por lo menos al alcance de nosotros y que tendremos tiempo para hacerlo, mientras que están vivos así es, pero nunca sabremos cuando será la última vez que los veremos.

Mi hijo sólo tenía veintiún años ¡jamás pasó por mi cabeza que moriría antes que yo! No debemos de postergar los abrazos, el decirles cuánto los amamos y cuán orgullosos estamos de ellos, dejarles saber lo importante y valiosos que son para nosotros; no debemos dar por hecho que ya lo saben, tampoco debemos de guardar para después el pedir perdón y el perdonar, no sabemos si habrá un después y tendremos esa oportunidad; después viene el arrepentimiento y el remordimiento por no haberlo hecho a tiempo, eso puede traer culpa y un dolor muy grande.

Gracias a Dios no fue mi caso, aproveché cada momento para decirle cuanto lo amaba y cuán orgullosa estaba de él, abrazos todos los días, más por él que por mí; él era muy cariñoso, yo no lo soy, pero todos los días de su vida hubo abrazos y besos, palabras de afirmación; eso trajo un enorme descanso a mi alma.

La celebración continuó. José comenzó a nombrar a primos y amigos íntimos de Omar, para que pasaran al frente a dar unas palabras acerca de él, sus palabras fueron como un bálsamo para nuestro corazón. Darnos cuenta de cuán amado y apreciado fue nuestro Omar fue muy consolador para toda la familia. Nos podíamos haber quedado días en ese ambiente de amor.

Yo solo pensaba dentro de mí, que no me llame a mí, que no lo haga.

Cuando menos pensé me pidió que pasara, mi mente decía: dile que no, pero mi cuerpo se paró en automático, cuando menos pensé, ya estaba enfrente. Dios me fortaleció de una manera sobrenatural –comencé a hablar de mi hijo– se me llenaba la boca al hablar de él, tenía tanto que decir, sólo recuerdo que terminé hablándoles a los padres que estaban presentes, diciéndoles que respetaran a sus hijos, que aceptaran su individualidad, pues como padres a veces queremos que sean nuestra copia, que entren en nuestro molde y Dios los hizo diferentes.

Tenemos que aceptar el diseño de Dios para nuestros hijos, ser sus mejores porristas, amarlos con sus defectos y virtudes, apoyarlos y animarlos a soñar, sobre todo a realizar sus sueños; les dije que si los habían lastimado de cualquier manera, que estaban a tiempo de pedirles perdón, también de perdonarlos si sus hijos los habían lastimado a ellos, que no perdieran el tiempo con el orgullo, que hicieran lo necesario para estar bien con ellos, pues nadie les garantizaba que después tendrían oportunidad.

Recuerdo muy bien las caras de los papás que se encontraban presentes; algunos lloraban inconsolables, otros que tenían a sus hijos a un lado, los abrazaron fuertemente; después me enteré que algunos padres les pidieron perdón a sus hijos, hubo reconciliación familiar no solo con los hijos sino entre matrimonios y familias que estaban distanciadas por tonterías. Cerré mi tiempo dándole gracias a Dios por los veintiún años que nos había prestado a Omar.

Por último, José pasó a mi esposo, no recuerdo bien sus palabras, solo recuerdo que animó a todos los presentes, les presentó a Jesús como la única respuesta a cualquier necesidad, los guió en una oración para recibir a Jesús como su Señor y Salvador, aquello fue impactante; nadie entendía como podíamos estar tan bien después de una pérdida tan grande – nosotros tampoco –. Lo que sabíamos sin lugar a duda era que Dios nos sostenía, Él nos fortaleció y nos consoló para que pudiéramos consolar y animar a las personas que nos acompañaron ese fin de semana.

> *"El cual nos consuela en todas nuestras tribulaciones, para que podamos también nosotros consolar a los que están en cualquier tribulación, por medio de la consolación con que nosotros somos consolados por Dios". 2Corintios 1:4 RVR1960*

Se hizo una fila enorme de personas que querían pasar a abrazarnos, algunas personas nos veían y nos decían – "felicidades" –, luego reaccionaban en lo que habían dicho y nos pedían perdón – No sé por qué dije eso – nos decían, pero realmente era algo que salía de sus corazones y les decíamos – "está bien" – recibíamos con mucho amor sus palabras, pues de verdad no era una noche de duelo sino de celebración.

Otras personas que no conocíamos nos hacían comentarios como: "yo estaba muy mal con mi esposa y Omar habló conmigo y oró por nosotros y nos reconciliamos", "yo andaba muy desubicado y confundido, Omar me escuchó y me regaló una Biblia, hoy estoy bien"; "estuve a punto de suicidarme, pero Omar me convenció de no hacerlo y me escuchaba por horas". Estábamos sorprendidos de cuánto bien había hecho Omar a su prójimo mientras vivió, nos dimos cuenta de que Dios cumplió Su propósito en él y en sus veintiún años hizo mucho más que mucha gente que ha vivido una larga vida.

Las personas salieron de ese lugar muy diferentes de como entraron, salieron animadas, hablando del increíble amor de Dios que se sentía en ese lugar, de la fortaleza sobrenatural que se palpaba en toda la familia, el personal de la casa funeraria nos compartió también que nunca habían visto algo igual. *¡Dios fue muy, pero muy bueno!*

"EN UNA REALIDAD
ADVERSA
UN AMOR
INAGOTABLE,
UNA PAZ
INEXPLICABLE
DE UN DIOS
INIGUALABLE"

CAPÍTULO DOS
CUANDO NO HAY RESPUESTAS

LA BURBUJA SE ROMPIÓ

Después de un fin de semana increíble, estábamos en casa reviviendo lo que Dios había hecho en la funeraria. El Domingo fuimos a la Iglesia como de costumbre, la familia nos acompañó y pasamos un tiempo hermoso; les dimos las gracias a la familia en la fe de *"La Roca"*, y a la familia de sangre que se encontraba allí, por tantas muestras de amor y por el apoyo invaluable que nos dieron en esos días.

Un poco aturdidos, nos fuimos a casa después de comer, con la incertidumbre de no saber qué sería de nosotros en los días, meses y años siguientes sin nuestro amado Omar.

Nuestra realidad sin Omar comenzaba el lunes siguiente, ya sin las personas en nuestra casa, volviendo a la "rutina"; el temor de enfrentar nuestro diario vivir sin él, la tristeza, la soledad y el vacío que la partida de Omar había dejado en nuestra vida ¡eran enormes!

Éramos unos bultos moviéndonos por inercia dentro de nuestra casa, de un lado a otro sin hablar, sin saber qué hacer, con la mirada opaca y pérdida. Ése lugar que era nuestro hogar en el cual vivimos momentos tan maravillosos y felices, como otros difíciles también, que fue nuestro refugio familiar en el cual sin importar las circunstancias que estuviéramos enfrentando, el solo saber que contábamos el uno con el otro era suficiente para soportar cualquier tormenta que estuviéramos atravesando.

No importaba qué día tan mal hubiéramos tenido en la escuela, trabajo o en cualquier lugar que estuviéramos, el saber que al terminar la tarde estaríamos todos juntos nos daba esperanza y alegría; los problemas compartidos en familia eran mucho más ligeros y soportables.

En esos momentos ese hogar nos parecía frío e inseguro, todos nos sentíamos destrozados, como si nos hubieran cortado una pierna, un brazo, incapacitados para pensar, para tomar decisiones, para seguir adelante; nuestros corazones estaban totalmente fragmentados.

Es muy difícil poder mirar para adelante, hacia el futuro, cuando alguien a quien amamos tanto ya no será parte de él.

Había muchas preguntas, todo en esa casa nos recordaba a Omar y lo que había pasado, era muy difícil funcionar como lo puede ser para una persona con alguna discapacidad mental o física.

Mi familia se caracteriza por disfrutar la vida, lo poco o lo mucho que esta nos brinda, el simple hecho de existir es un motivo de alegría y por el cual estar agradecidos. Pero en ese momento yo dudaba mucho que algún día pudiera volver a disfrutar cosas tan sencillas como un día soleado o lluvioso, cualquiera de los dos, ¡antes los disfrutaba al máximo!

La comida es algo que disfruto muchísimo, y en esos momentos perdí el placer por la comida, –nunca dejé de comer– pero no había placer o deleite en comer, no era lo mismo, todo se veía sombrío y sin sentido sin Omar.

Qué difícil me parecía todo, había una nube negra sobre mí que amenazaba con aplastarme. A Viviana le habían dado días libres en su trabajo en la Universidad; pero ella prefirió ir a trabajar que estar en casa sintiendo ese ambiente de dolor y tristeza.

Recuerdo que llegaba muy cansada y apagada, yo no hubiera querido que saliera, en esos momentos necesitaba mucho a mis hijos y a mi esposo a mi lado, mi esposo no trabajó por el resto del mes; fue tan bueno eso para mí, ¡lo necesitaba más que nunca! Hablábamos y llorábamos juntos, compartíamos el mismo dolor y eso nos unió aún más.

Solo salía de mi casa para ir a comprar comida, me costaba trabajo manejar y sonreír con la gente que amablemente me atendía en la tienda; al ver a la gente haciendo lo que hacían todos los días, me enojaba, yo pensaba dentro de mí, ¿cómo pueden sonreír, y seguir haciendo todo lo que hacen?, ¿qué no saben que mi hijo se murió? Yo habría querido que el mundo se hubiera detenido y que todo se pusiera en pausa, hasta que mi dolor desapareciera si es que algún día pudiera ser posible que eso sucediera.

Nuestros amigos y familia seguían pendientes de nosotros; nos hablaban por teléfono, no contestábamos las llamadas, pues no teníamos humor de hablar con nadie; pero nos confortaba mucho escuchar los mensajes de apoyo y consuelo que nos dejaban en la grabadora; seguían trayendo comida de vez en cuando, pero ya no se quedaban pues respetaban nuestra privacidad.

Rodrigo, nuestro hijo menor, entraba y salía como si nada hubiera pasado, él seguía jugando con sus amigos y primos, regresó a la escuela, en él, todo parecía normal, lo cual nos daba gusto, pensábamos –equivocadamente–, que se había recuperado rápido de la pérdida.

Antes de Omar habíamos pasado por la muerte de mi padre, pero fue muy distinto, realmente no hubo un duelo normal, ahora lo sé, yo no conocía las etapas del duelo como tal, y creo que alguien nos compartió algo acerca de ese tema; pero realmente no estábamos capacitados para retener o entender la información, así que no sabíamos que Rodrigo se había estancado en la etapa de la negación, lo cual es muy peligroso.

LAS PREGUNTAS

Yo tenía preguntas para Dios: –¿Por qué permitiste esto?

Él no le hacía daño a nadie. Tu Palabra dice que *"honremos a nuestros padres para que nos vaya bien y seamos de larga vida sobre la tierra", Efesios 6:2-3.* Señor, necesito que me expliques este versículo de la Biblia pues no lo entiendo.

Omar tuvo su etapa de rebeldía en la adolescencia, pero aún en ese tiempo él nos honró, no nos faltaba al respeto –"¡Señor, necesito que me expliques!"–

En esa etapa en la que se rebeló, yo me preocupé pues desde niño fue muy obediente y sumiso a nosotros, muy alegre y extrovertido, pero de repente dio un cambio inesperado. Yo temía por él, oraba mucho por él, pues no sabía cómo ayudarlo; fue un cambio repentino, andaba enojado, parecía que todo le molestaba, por más que tratábamos de hablar con él para saber qué pensaba, qué sentía, qué necesitaba, se cerraba –típico comportamiento de un adolescente–.

Un día que estaba orando por él, Dios me dio una visión, y en esa visión, yo lo veía ayudando a muchos jóvenes y adultos también, compartiendo la palabra de Dios con cuanta persona se le atravesaba; lo veía feliz haciendo lo que más le gustaba, que era poder ayudar y hacer feliz a alguien. Al final de la visión yo lo veía compartiendo en un cuarto grande lleno de gente, podía ver cómo había sanidad y restauración en las personas que estaban allí; quienes no conocían a Jesús como su Salvador, en ese momento se entregaban a Él, ¡fue hermosa la visión! Me dio también la Escritura de:

> *"Escribe la visión, y haz que resalte claramente en las tablillas, para que pueda leerse de corrido. Pues la visión se realizará en el tiempo señalado; marcha hacia su cumplimiento, y no dejará de cumplirse. Aunque parezca tardar, espérala; porque sin falta vendrá". Habacuc 2:2-3 NVI*

Me sequé las lágrimas y dejé de preocuparme, yo creí lo que Dios me había mostrado en la visión y pude pasar esa etapa de rebelión y confusión junto a él, con la seguridad de que era pasajera y que vería con mis ojos todo lo que Dios me mostró en la visión. Entonces yo le pregunté a Dios: "¿fue real la visión o solo la imaginé?" Omar servía en la Iglesia en la alabanza, era un adorador, le gustaba cantarle a Dios y tenía buena voz; también ayudaba con los jóvenes; pero me faltaban cosas por ver.

En el accidente habían estado involucradas muchas personas; fueron tres carros los que chocaron; una camioneta con una familia completa que estaban de vacaciones en San Diego, un 4Runner en el que iban los tres jóvenes que provocaron de alguna manera el accidente, y el carro en el que iban Omar y David, pero de toda esa gente, ¡solo Omar murió! Entonces yo le preguntaba a Dios: "¿Por qué él? ¿Por qué a mí?" Dios guardó silencio cada vez que yo le hice esa pregunta, pero un día –creo que se cansó– me dijo claramente: "¿Y POR QUÉ NO?"

Esa respuesta fue como un balde de agua helada. ¡Cuánta razón tenía Dios! Qué teníamos de especial mi hijo o yo, para que a nosotros no nos pudiera suceder algo así, ¿acaso yo era diferente a las madres de los otros jóvenes involucrados? ¡Claro que no! Dios me puso en mi lugar y jamás volví a hacerle esa pregunta.

Yo me devoraba la Biblia como nunca, era lo único que calmaba mi ser y consolaba mi corazón, necesitaba escuchar a Dios como nunca, era una necesidad profunda. Dios me hablaba a través de Su palabra, siempre lo ha hecho; pero en esos días esas letras eran literalmente la voz de Dios para mí.

> *"Toda palabra de Dios es limpia; Él es escudo a los que en Él esperan". Proverbios 30:5 RVR60*

Si a alguien yo quería escuchar era a Él; necesitaba que me dijera qué iba a ser de nuestra vida, ¿qué quería Él que hiciéramos?, ¿qué no deberíamos de hacer?, ¡necesitaba escuchar a mi Papá decirme que todo iba a estar bien¡

Dios me consolaba con Su hermosa Palabra; Isaías 57:1 Y 2RVR60: *"Perece el justo, y no hay quien piense en ello; y los piadosos mueren, y no hay quien entienda que de delante de la aflicción es quitado el justo. Entrará en la paz; descansarán en sus lechos todos los que andan delante de Dios".*

Solamente Dios sabe de qué libró a nuestro hijo.

EL ENCUENTRO CON LAS CENIZAS

Después del fin de semana en la funeraria, ahí mismo se encargarían de cremar su cuerpo, y quedaron de hablarnos cuando ya tuvieran las cenizas listas para pasar a recogerlas.

Les pedí que me guardaran la ropa con la que había llegado el cuerpo de Omar a la funeraria; quería ver, oler su ropa, buscar indicios de lo que había sucedido, porque por más que preguntaba no me lo decían, así que decidí investigar por mi cuenta, mi esposo por el contrario no quería conocer los detalles, para él, no tenía caso torturarse con eso; pero para mí sí era algo significativo, no me importaba sufrir con la información, yo necesitaba saber.

Llegó el día, recibimos la llamada de la funeraria para decirnos que pasáramos a recoger las cenizas; de nuevo enfrentamos el temor a lo desconocido, no sabíamos cuál sería nuestra reacción al tener en nuestras manos la Urna con las cenizas de Omar adentro; recordé lo que dice la palabra de Dios en el Salmo 23:4: *"Aunque ande en valle de sombra de muerte, no temeré mal alguno, porque tú estarás conmigo"*. Esa Escritura retumbaba en mi mente, –no temeré mal alguno pues Tú estás conmigo–.

No lo pensamos, en automático nos subimos al auto y nos dirigimos a la funeraria, mi esposo y yo no hablamos en todo el camino. Cuando entramos a la funeraria nos estaban esperando; la Urna estaba hermosa, era una caja tipo italiana, no parecía Urna, más bien parecía una caja decorativa lo cual me pareció muy bien pues aunque habíamos acordado que cumpliríamos el deseo de Omar de tirar sus cenizas al mar, pensé: –nos podemos quedar un tiempo con ellas en casa, las cenizas estarán en la sala–.

Nos entregaron la Urna y una bolsa de plástico con la ropa de Omar, dimos las gracias y salimos de allí con un peso muy grande en el estómago; yo no podía descifrar lo que sentía, era una especie de malestar estomacal y al mismo tiempo una sensación de vacío indescriptible veía la caja y no podía creer que los restos de nuestro hijo se hubieran reducido a ese tamaño, no hablamos en el camino de regreso a casa tampoco.

Cuando llegamos, pusimos la caja en la sala. Yo me subí al cuarto para revisar la ropa de Omar; su camisa verde olivo que tanto le gustaba estaba intacta, pero con manchas de sangre, su pantalón igual, no estaba roto, pero tenía manchas de sangre, pude imaginar el dolor de las heridas. Guardé la ropa en la bolsa de plástico, bajé y la tiré en la basura; en realidad para lo único que me sirvió ver su ropa fue para torturarme como dijo mi esposo, y no quise que Viviana sintiera lo que yo había sentido, así que decidí tirarla.

Al llegar Viviana del trabajo me preguntó por la ropa, le dije que no quise que la viera pues le iba a doler mucho, y se conformó, no insistió. Entré al cuarto de Omar y vi su ropa en el guardarropa, tomé un suéter que había usado unos días antes de su muerte, lo besaba, lo olía, quería imprimir su olor para siempre en mi nariz.

Ver su cama, y sus cosas me atormentaba, así que decidí transformar el cuarto que él compartía con su hermano; pintamos las paredes de otro color, cambiamos la sobrecama, y los adornos que había en el cuarto, no me deshice en ese momento de su ropa, pues no estaba lista, pero no volví a abrir el guardarropa. Me di cuenta que cambiar el cuarto nos hizo bien, era como ir probando y buscando la manera de recuperarnos sanamente de nuestra pérdida.

El lugar en el que sucedió el accidente estaba muy cerca de nuestra casa y era un camino por el cual pasábamos diariamente, pues era nuestra ruta para llevar a Rodrigo a la escuela y para ir al mercado. Fue muy difícil recorrer ese camino nuevamente, fuimos tentados a cambiar de ruta, pero decidimos enfrentar el temor al dolor, entonces seguimos usando ese camino, la verdad es que era un tormento volver a imaginar la escena del accidente cada vez que pasábamos por ahí.

LA TENTACIÓN DE LA VENGANZA

Le pedí a un primo que es detective y tiene relaciones con la policía, que por favor me consiguiera el reporte del accidente y él lo hizo, de nuevo mi esposo se molestó pues él no quería conocer los detalles, pero yo sí, todos procesamos los duelos de diferente forma y no podemos forzar a nadie a sentir o a querer lo mismo que nosotros.

Me trajo el reporte y lo leí de principio a fin. Me dolió mucho, pero ya no tenía ninguna duda de lo que había sucedido; a pesar del dolor, mi alma descansó. No pude despedirme del cuerpo aún caliente de mi hijo, y no saber con exactitud qué había pasado me robaba la paz y el sueño.

Recibimos una llamada del abogado del distrito, quería que levantáramos cargos contra los "culpables" del accidente. Desde la primera vez que nos habló le dijimos que no estábamos interesados en hacerlo, él nos dijo que lo pensáramos bien, que los culpables merecían ser castigados, le dijimos que no había nada que pensar, que no lo haríamos.

Un par de días después nos volvió a llamar, recibió la misma respuesta, pero no contento con nuestra decisión vino personalmente a nuestra casa a tratar de convencernos.

Cuando se fue yo me quedé pensando en lo que él nos dijo, y de pronto un pensamiento vino a mi cabeza: "¡él tiene razón!

Si el culpable se queda sin castigo, volverá a repetir sus malas acciones. ¡Tenemos que levantar cargos!", –me dije a mi misma–, y fui a hablar con mi esposo, esta vez yo traté de convencerlo, pero gracias a Dios él no cayó en la tentación de la venganza en la que yo estaba cayendo, él me dijo: "¡NO! Nuestro hijo no volverá a la vida porque hagamos eso, no lo haremos".

Me dijo que ya era suficiente con nuestro dolor, que él no quería que los padres de esos jóvenes sufrieran más por tener que ver a sus hijos en prisión, lo acepté, aunque no estuve totalmente de acuerdo con él en ese momento.

En mi mente seguía la voz del enemigo tratando de convencerme de que lo teníamos que hacer, fue una lucha mental muy fuerte, me puse a orar y le pedí a Dios que se hiciera Su voluntad; que si mi esposo estaba en lo correcto que pusiera paz en mí y si yo estaba en lo correcto que lo convenciera a él.

¡Dios es tan bueno!

Si siempre le pidiéramos que se hiciera su voluntad y fuera Él quien nos convenciera de ella, Él lo haría; pero a veces preferimos no preguntarle pues queremos hacer nuestra voluntad y no la de Él. Dios habló a mi corazón y me hizo esta pregunta: "si hubiera sido tu hijo el que hubiera provocado el accidente, ¿qué pedirías para él? ¿Misericordia o juicio?"

¡Me quedé helada! Inmediatamente le contesté –MISERICORDIA, –"Pues eso da" –me contestó Dios–.

Le pedí perdón a Dios por querer vengarme por la muerte de mi hijo. También le pedí que tuviera misericordia de todos los involucrados en el accidente.

Pude pensar en las madres de esos jóvenes y sentir el dolor que ellas estaban sintiendo por lo que había sucedido y el temor que seguramente sentían por no saber qué pasaría con sus hijos. Bastante prisión era llevar en su conciencia la muerte de un inocente, como para todavía agregarle más a ese sufrimiento.

"Con el misericordioso, te mostrarás misericordioso". Salmos 18:25 RVR1960

¿Quién no necesita la misericordia de Dios? TODOS la necesitamos, así es que hay que sembrar para cosechar. Ese ya no volvió a ser un tema de discusión.

"CUANDO
NUESTRA VIDA
SE QUIEBRA
CUESTIONAMOS
A DIOS,
CON PREGUNTAS COMO
¿POR QUÉ ÉL?
¿POR QUÉ YO?
A LO QUE ÉL
CONTESTA
¿POR QUÉ NO?"

CAPÍTULO TRES
LA VIDA CONTINÚA

VOLVIENDO A LA RUTINA

A mi esposo le ofrecieron un trabajo cuidando a una persona con discapacidad; ese trabajo fue una bendición para nuestra familia, aparte de que tenía muy buena paga, la mamá de la persona a la que cuidaba mi esposo era un amor de señora, y llegamos a ver a su familia como parte de la nuestra. Nuestra situación económica cambió, ya no teníamos que mudarnos a otra ciudad.

Mi esposo y yo éramos líderes de matrimonios en la Iglesia en la que éramos miembros, teníamos muchas actividades y responsabilidades, teníamos un equipo bajo nuestro cargo, pasado más o menos un mes de la partida de nuestro hijo, hubo una junta con el liderazgo de la Iglesia. Nosotros asistimos, pero ahí nos dimos cuenta de que no estábamos capacitados para esa responsabilidad en ese momento, así que lo platicamos mi esposo y yo; tomamos la decisión de hablar con nuestro pastor y amigo José para pedirle un tiempo, poder recuperarnos y estar listos para retomar la responsabilidad; él se entristeció pero lo entendió, nos dio el tiempo, recuerdo que nos preguntó cuánto tiempo necesitábamos, "¿cómo saberlo?" le contestamos encogiéndonos de hombros, nunca habíamos pasado por algo semejante, así que no teníamos una idea de nada, lo único que sabíamos era que necesitábamos procesar el dolor y confiar en Dios de que pasaría, quizás no del todo, pero teníamos la esperanza de poder volver a funcionar "normalmente"

MI RUTINA EN CASA

Traté de volver a mi rutina de ama de casa, limpiando, cocinando, lavando, ocupándome de las compras del mercado, llevando y trayendo a Rodrigo a la escuela, hacía lo mejor que podía, pero la comida definitivamente no me quedaba bien, o se me quemaba o me quedaba cruda, desabrida o muy condimentada, mi familia muy comprensivos conmigo, no se quejaban, pero ni a mí me gustaba; comencé a comprar comida preparada fuera de casa. La verdad es que no me interesaba cocinar, perdí el gusto por la cocina, "ya me volverá el gusto por cocinar" –pensaba dentro de mí–, no tenía deseos de hacer nada; mis amigas me hablaban para invitarme a comer, para ir de compras, no sabían cómo distraerme, yo se los agradecí mucho, pero en verdad no tenía humor para nada.

Solo ir a la Iglesia me motivaba pues el escuchar la palabra de Dios me fortalecía y me consolaba, pero aún allí tenía momentos de mucha tristeza y nostalgia. Ver al grupo de alabanza sin Omar, me recordaba que ya no estaba con nosotros, ver a sus amigos era motivo de tristeza y de dolor, recuerdo que los abrazaba como si fueran Omar, ellos no sabían qué decir, cómo reaccionar, pues yo lloraba inconsolable, solo se dejaban abrazar y me decían que ellos también lo extrañaban mucho.

Recuerdo que mi amiga Gloria me decía que hiciera lo que quisiera y sintiera hacer, que no me forzara a hacer algo por compromiso o por las expectativas de la gente, así que tomé su consejo, cuando tenía ganas de llorar, lloraba, cuando tenía ganas de salir salía, si tenía ganas de hablar con alguien lo hacía, yo quería tener una recuperación sana, "normal", y si alguien podía monitorear mi recuperación era ella. Gracias amiga querida, tu apoyo ha sido ¡invaluable!

LA NECESIDAD DE HABLAR DE TU SER QUERIDO

Curiosamente las personas que no han pasado por una pérdida así, no saben cómo tratar con las personas que acaban de perder a un ser querido, y por lo regular tratan de evitar mencionarlo en las pláticas; piensan que te van a causar dolor al hacerlo, pero que equivocación más grande. Cuando has perdido a alguien tan querido, hay una necesidad enorme de hablar de él y escuchar acerca de él también, sobre todo el primer año, es una necesidad indescriptible. Yo me daba cuenta de que al mencionar su nombre o hablar acerca de alguna experiencia vivida con él, las personas se incomodaban, no sabían qué decir, cómo responder a mi plática, y yo dejaba de hacerlo, pues pensaba: –no les interesa escucharme hablar de él. –¡Eso me causaba una gran tristeza! No puede ser que ya lo hayan olvidado, pensaba–, el que esté muerto, ¿significa que nunca existió? Esa era mi pregunta. Recuerdo el gusto que me daba que alguien me entregara una foto de él, o que me hicieran algún comentario de alguna experiencia vivida con él, o simplemente el que me dijeran que lo extrañaban, era muy reconfortante para mí.

Cuánta necesidad tenía yo de hablar y escuchar acerca de Omar, recuerdo a una joven hermosa que me dijo que tenía un video de una fiesta en la que estuvo Omar, me preguntó si me gustaría tenerlo, "¡POR SUPUESTO QUE sí!" –le dije–. Cuando ella me entregó el video, lo vi, una, dos, tres, ¡muchas veces!, lo ponía en pausa cuando salía él, no sé cuánto tiempo estuve sentada viendo y disfrutando ese recuerdo. Escuchar su voz en el video ¡no tenía precio! Recuerdo cómo me gustaba llevar a Rodrigo a que Lucy le cortara el cabello, pues ese tiempo la pasábamos hablando de Omar, ¡cuánto disfrute ese tiempo con Lucy!

Ahora sé que las personas que no han pasado por una pérdida así, temen que al mencionar al ser que ya no está, van a remover el dolor y el sufrimiento, es por eso que evitan mencionarlo y hablar de él. Pero no hay nada más lejos de la realidad que esto, es muy bueno platicar acerca de la persona, saber que los demás le recuerdan es muy bueno para nosotros, saber que también le extrañan nos da alivio en el alma. No quisiéramos que su recuerdo se borre nunca, y una forma de perpetuar su recuerdo es hablando de él, no de una forma insana o enfermiza, sino de una forma normal, sin temor de ofender o enfadar a quienes nos escuchan.

Siento mucha alegría al escuchar a mis nietas hablar de su tío Omar como si lo hubieran conocido, siempre hemos platicado de él frente a ellas, por eso les resulta familiar, al ver una foto de Omar de cualquier edad saben quién es, conocen el perfume favorito de su tío, las canciones que le gustaban, la comida, entre otras cosas. Guardar y mantener su memoria nos ha ayudado a sentir paz, a recordarlo con amor y hablar de él con naturalidad.

Ver su foto en casa de sus tíos y abuelos, es muy bueno para nosotros, también hoy sabemos que hay personas que quitaban sus fotos, pues temían que al verlas nos causarían dolor, cuán lejos de la realidad es eso. Alguien dijo que: –"Una persona no muere hasta que la han olvidado", –¡cuánta verdad encierran esas palabras!

Debería de haber clases para informar a las personas qué hacer cuando un ser querido muere. Pues por falta de conocimiento, en lugar de ayudar al que está sufriendo, le causan más dolor (sin saberlo, claro). Hoy cuando hablo con alguien que ha perdido a un ser querido, le pregunto cosas acerca de él/ella y puedo ver cómo se enciende un rayo de luz en sus ojos al hablar de su ser querido y cuando terminamos de platicar puedo ver un cambio en la persona.

Hoy tantos años después de la partida de mi hijo, disfruto muchísimo hablar de él con mi familia, con mis amigas, con sus amigos. Recordamos con nostalgia, pero sin dolor a nuestro Omar, sus ocurrencias, sus travesuras, su personalidad alegre, divertida y noble, su temperamento extrovertido y sanguíneo, no hay temor de hablar de él.

DIOS CONTESTANDO MIS PREGUNTAS

Recuerdo muy bien el día en el que Rodrigo me preguntó si podíamos ir al lugar en el que trabajaba su hermano, unos seis meses después de su muerte, inmediatamente le dije que sí, me daba mucho gusto que él quisiera hablar e interesarse por lo que hacía su hermano.

Omar trabajaba en un área que no era visible a las personas que visitaban el hospital, yo lo llevé muchas veces a su lugar de trabajo y lo dejaba por una puerta trasera del hospital por donde solo entran los empleados, y no sabía si podríamos entrar, pero lo iba a intentar. Me estacioné para esperar que alguien saliera o entrara y preguntarle si era posible que nos mostraran el área en la que Omar trabajaba.

Más o menos una hora después alguien salió, bajé de prisa del auto, este joven muy amable me vio y me preguntó si me podía ayudar en algo, yo me presenté, le dije que mi hijo había trabajado ahí, no me permitió seguir hablando, me reconoció, pues él estuvo en el funeral, y me preguntó: "¿es usted la mamá de Omar?" –Sí, le contesté– me tomó del brazo y nos llevó hacía adentro, comenzó a gritar: "La mamá de Omar está aquí, la mamá de Omar está aquí". En un momento se nos acercaron unas diez personas y nos rodearon, nos abrazaban y lloraban, Rodrigo y yo ¡estábamos conmocionados! No sabíamos qué hacer ni qué decir, nos llevaron a un área privada del hospital, nos enseñaron en una pared en la que tenían las fotos enmarcadas de las personas más importantes del personal del hospital y entre ellas tenían la foto enmarcada de Omar con una placa que decía: "OMAR, DIOS TE DIO A NOSOTROS, TÚ NOS DISTE AMOR... Y HOY ESTÁS EN EL CIELO".

Me sentía abrumada, estaba como en otra dimensión, comenzaron a relatar las cosas que Omar había hecho por ellos, cómo había hecho la diferencia en sus vidas, uno de ellos me dijo que su esposa estaba embarazada, que tendrían un varón y que le pondrían por nombre Omar pues querían que su hijo se pareciera a él, otro me dijo que mi hijo había sido un ejemplo de amor y de integridad para ellos, que a pesar de su corta edad les había dado lecciones de vida muy grandes. Todos querían hablar al mismo tiempo, tenían la necesidad de decirme lo que sentían por Omar, en ese momento vi el dedo de Dios apuntando hacia ellos y me dijo: "ESO ES TENER LARGA VIDA SOBRE LA TIERRA". ¡No pude más que llorar de agradecimiento!

Dios no tenía que contestar mis preguntas, ¡pero lo hizo! Ese era un cuestionamiento que me hacía, cuando pensaba en la Escritura que dice: "HONRA A TU PADRE Y A TU MADRE PARA QUE TE VAYA BIEN Y SEAS DE LARGA VIDA SOBRE LA TIERRA", ¡Wow! Qué lección me dio Dios.

Tener larga vida sobre la tierra no significa precisamente vivir muchos años sobre ella, sino que los años que te toquen vivir aquí, dejes una buena huella, incapaz de ser olvidada. Omar en sus cortos veintiún años que vivió pudo hacer e impactar mucho más que personas que mueren en una edad avanzada.

Estuvimos platicando con sus compañeros un rato, lloramos, reímos y el corazón de Rodrigo y el mío fueron consolados por ese tiempo hermoso que Dios nos regaló, nos despedimos de ellos, todos salieron a acompañarnos al auto; Rodrigo y yo íbamos como en las nubes, lo que vivimos en ese lugar fue hermoso y sobrenatural.

Queríamos seguir ahí, así que me estacioné enfrente del hospital y nos bajamos para entrar por la puerta principal. Dios me tenía otra sorpresa. En una sala de espera del hospital, nos encontramos al papá de una amiga de Omar, se veía muy agobiado, estaba esperando el resultado de unos exámenes que le habían hecho, lo saludamos y me abrazó llorando, me dijo que no podía creer que Omar ya no estuviera con nosotros, que hacían falta más personas como él en el mundo, me dijo que él lo había visto en varias ocasiones en el hospital y que aunque Omar estaba trabajando, se detenía para darle ánimo y orar por él, que precisamente en él estaba pensando cuando nos vio, ¡cuánto llenaban mi corazón sus palabras! Durante todos estos años después de su muerte, sus acciones siguen hablando por él.

> *"Y oí una voz del cielo que decía: escribe lo siguiente: benditos son los que de ahora en adelante mueran en el señor. El espíritu dice: "sí, ellos son en verdad benditos, porque descansarán de su arduo trabajo, ¡PUES SUS BUENAS ACCIONES LOS SIGUEN!" Apocalipsis 14:13 NTV*

“TENER LARGA VIDA
EN LA TIERRA
ES MARCAR
EL CORAZÓN
DE LAS PERSONAS,
QUE TUS ACCIONES
TRASCIENDAN”

CAPÍTULO CUATRO
EL CICLO DE LA VIDA

PERDÍ A UN HIJO, PERO TENGO OTROS DOS

Antes de la muerte de Omar, me había tocado asistir a algunos funerales, muy pocos. Me considero una persona con mucha resistencia al dolor físico, mas no al dolor emocional, si puedo evitarlo, lo hago sin pensarlo. Así que para que yo asistiera a un funeral, tenía que ser de alguien muy cercano a mí; estar frente a una persona que había perdido a un hijo o un esposo, ver el dolor y la propia muerte en la persona que sobrevive al que se fue, es algo muy difícil para mí, creo que para la mayoría de la gente. Después me enteraba de que luego de la muerte del ser querido se había dividido la familia o hasta separado el matrimonio, era algo que yo sabía de personas que conocía, lo cual me parecía terrible.

Los adultos después de una pérdida, sea por causa de muerte o por un divorcio, tendemos a encerrarnos en nuestro dolor, a veces a culparnos el uno al otro por la pérdida, inclusive podemos llegar a olvidar que tenemos otros hijos que dependen de nosotros, que nos necesitan más que nunca, pues se sienten confundidos, perdidos, culpables, llenos de temor, y aparte de haber perdido a un hermano, sienten que también perdieron a sus padres, pues ellos están ausentes emocionalmente, sintiendo pena de sí mismos, divididos entre sí, por lo tanto, si no tenemos cuidado podemos ser causa de un dolor aún más grande en nuestros hijos.

Recuerdo que la noche en la que recibimos la terrible noticia, yo estaba a punto de sumirme en ese pozo de desesperación y dolor, cuando mi hija de 23 años me sacó de golpe al preguntarme: –"¿verdad que todo va a estar bien mamá?"–

Pude ver a ese ser indefenso, inseguro, confundido, esperando a que mamá le dijera que no se preocupara, que mamá estaba allí para ella y que, a pesar de la pérdida, todo iba a estar bien.

Su pregunta me hizo volver en mí por un momento y le contesté: "¡SÍ! todo va a estar bien". En ese momento me di cuenta de que no podía abandonarme al dolor y al sufrimiento por mi pérdida, pues yo seguía siendo mamá de otros dos hijos y ¡ellos me necesitaban más que nunca!

Dentro de mí clamé a Dios el Salmo 57:1 RVR1960 *"Ten misericordia de mí oh dios, ten misericordia de mí; porque en tí ha confiado mi alma, y en la sombra de tus alas me ampararé hasta que pasen los quebrantos."*

¡Cuánto necesitaba yo a Dios! ¿Cómo poder estar bien para mis hijos, con el corazón hecho pedazos?

EL PELIGRO DE NEGAR LA REALIDAD

Como comenté en el capítulo uno, Rodrigo parecía estar bien, lo cual me daba descanso, pues pensaba que no tenía que preocuparme por él, y así pasaron algunos meses. Gracias a Dios pudimos mudarnos a otra casa, en otra área, lejos de donde fue el accidente; ya no tenía que recorrer ese camino que me atormentaba.

Lo único que notaba en Rodrigo era que se quedaba muy preocupado cuando su papá y yo salíamos o cuando su hermana no llegaba dentro del horario acostumbrado, de alguna manera podía percibir su temor, de que nos pasara lo mismo que a su hermano, pero fuera de eso, se veía normal.

Hasta que un día, como seis meses después de la muerte de su hermano, fuimos al cine, al que habíamos ido todos juntos ese veinticinco de diciembre, incluyendo a Omar. Cuando llegamos al cine, él se puso muy mal, comenzó a darle un ataque de pánico; como era la primera vez que le ocurría algo así, nos asustamos mucho, se comenzó a ahogar, y los ojos se le pusieron en blanco, nos fuimos a urgencias y lo recibieron inmediatamente pues parecía que se le iba a parar el corazón, después de revisarlo y examinarlo se dieron cuenta de que no tenía nada físico. Cuando él escuchó que no tenía nada, comenzó a calmarse poco a poco hasta que su respiración se normalizó y nos pudimos ir a casa, muy cansados y desgastados emocionalmente por el susto.

Pasó más o menos un mes, hubo un viaje de los jóvenes de la Iglesia a la *"Montaña Mágica"*, al cual yo fui como voluntaria para ayudar a cuidarlos, de regreso, ya en la camioneta que íbamos le sucedió lo mismo, estuvimos a punto de llamar al 911, pero oramos por él, poco a poco se comenzó a calmar y decidimos irnos directo a casa sin pasar a urgencias.

Nos preocupaban esos eventos en la vida de Rodrigo y no sabíamos qué estaba pasando con él. Más o menos un mes después, le volvió a suceder lo mismo, estaba muy asustado y parecía que le iba a dar un ataque, nos fuimos de inmediato al hospital, a urgencias, lo recibieron en cuanto llegamos, le pusieron oxígeno y le realizaron algunos exámenes, llegaron a la misma conclusión –no tenía ningún problema físico–. Nos preguntaron que, si le había ocurrido eso antes, les contestamos que dos veces, nos preguntaron que, si había ocurrido algún evento trágico o doloroso en su vida en los últimos meses, "¿una separación? ¿Un divorcio? ¿Una muerte?", nos preguntó el médico. Le contestamos que sí, "la muerte de su hermano". "¿Cómo reaccionó él?", –nos preguntó el médico–, a lo que respondimos: "como si nada"; que solo lloró y se enojó al momento de recibir la noticia, pero después de eso, él siguió haciendo lo mismo que hacía antes de la muerte de su hermano como si nada hubiera pasado.

"¡Eso lo explica todo!", –nos dijo el Médico– "Él no ha procesado el dolor emocional, y ese dolor está tratando de salir, a través de estos ataques de pánico". "¿Nadie ha hablado con él de su pérdida?" –nos preguntó el médico– No, le contestamos, "él no quiere hablar de eso". Y sí habíamos notado que cuando nosotros hablábamos de su hermano, él se apartaba, no quería escucharnos hablar de él, y no lo veíamos como algo malo, pensábamos que era normal, nosotros respetamos su decisión de no participar en pláticas que le pudieran "causar dolor".

Cuando uno no sabe qué esperar, qué es o no es normal después de una pérdida de un ser tan amado, es imposible poder ayudar a los demás, nos cuesta trabajo entender y poder ayudarnos aún a nosotros mismos.

Nos aconsejó el Doctor que lo lleváramos con un terapista o Psicólogo para que lo ayudarán a procesar su dolor de la manera correcta. Él escuchó la recomendación del médico, pero cuando lo quisimos llevar a ver a un especialista, no quiso, nos rogó que no lo forzáramos a ir, que él no quería hablar de su hermano ni de lo que había pasado, y mucho menos de sus sentimientos.

Después de esos incidentes, él cambió, dejó de ser el niño al que parecía que no le había afectado la muerte de su hermano, para convertirse en un niño temeroso, inseguro y encerrado en sí mismo. Ya no quería ver a sus amigos, ni hacer nada de lo que antes hacía, solo iba a la escuela porque no tenía otra opción; pero realmente no le interesaba nada, parecía que la vida no tenía ningún sentido para él, no había nada que lo motivara, parecía que todo le daba igual, se encerró en su mundo y eso ¡nos preocupaba muchísimo!

Extrañábamos mucho a nuestro Rodrigo, amiguero, deportista y con muchos deseos de hacer muchas cosas. Nos sentíamos impotentes para poder ayudarlo, hablé con una amiga que es psicóloga Miriam Nenninger y le platiqué lo que pasaba, ella me dijo que lo lleváramos con ella, hablamos con Rodrigo y finalmente después de mucho hablar lo convencimos, le dijimos que, si no se dejaba ayudar, esos episodios de pánico seguirían ocurriendo y eran peligrosos.

Fuimos a la primera cita, íbamos muy ansiosos los tres, mi esposo, Rodrigo y yo, no sabíamos qué esperar de esa cita, mi esposo y yo nos quedamos afuera y él entró con mi amiga a su consultorio. Estuvo más o menos unos cuarenta y cinco minutos adentro y cuando salió traía cada vena de la cara como reventada, su rostro rojo, con un aspecto de devastación profunda. Mi amiga nos dijo que lo lleváramos a casa y que descansara, que había sido muy fuerte la confrontación con la realidad.

Volvimos una segunda vez con la Psicóloga y sucedió lo mismo, él lloró tanto que salió sin fuerzas. Ella nos dijo que no quería hablar, que ella hablaba y él sólo asentía o negaba con la cabeza; pero lloraba mucho, que tenía mucha tristeza y confusión mental, que sentía un vacío profundo. Aunque salía devastado del consultorio, podíamos ver que descansaba, ya no quiso regresar. Gracias a Dios los ataques de pánico no regresaron.

Lo sucedido a su hermano fue tan fuerte para él, que su cuerpo y su mente hicieron uso del mecanismo de defensa contra el dolor, automáticamente e inconscientemente lo bloqueó; lo pude entender perfectamente. Era más fácil pensar que su hermano andaba de viaje y negar su muerte, que aceptar la realidad y sufrir el dolor que esa realidad nos causaba.

Fue muy difícil poder ayudar a nuestro hijo cuando nosotros aún no estábamos sanos emocionalmente, nos necesitaba mucho. Estaba entrando a la adolescencia así que fue más difícil para él, pues la pérdida llegó en una etapa de cambios hormonales en su vida. Le costaba mucho trabajo comunicarse en general y mucho más comunicar sus emociones y sentimientos. ¡Nos dolía profundamente verlo en ese estado!

Estábamos muy pendientes de él y sobretodo orábamos mucho, le pedíamos a Dios que nos ayudara a ayudarlo, que nos diera sabiduría para hablarle.

LAS FECHAS IMPORTANTES

Era imposible no pensar y no tener temor de enfrentar las fechas que tanto disfrutábamos juntos en familia; el primer día de las madres, el primer día del padre, el primer cumpleaños de Omar posterior a su muerte, primer día de dar gracias, Navidad, los cumpleaños de sus hermanos, de mi esposo y el mío ¡sin él!

Era una tortura que llegaran esas fechas tan importantes para la familia. Desde días antes comenzábamos a entristecernos y a sentir una inmensa nostalgia; la herida en nuestro corazón estaba abierta aún y sangraba con cada acontecimiento familiar importante. Con mucha dificultad pasamos el primer año de "primeras veces" sin nuestro amado Omar.

A mi familia le gusta mucho la época navideña, es nuestra época favorita del año, desde el día de acción de gracias nuestra casa ya estaba decorada con motivos navideños y la música típica de Navidad se escuchaba también desde esa fecha; pues bien, se acercaba el día de dar gracias y yo no quería ni pensar en la cena, en la reunión familiar, era una carga muy pesada pensar en ese tipo de preparativos en ese momento.

Gracias a Dios, mis hermanos tuvieron la gran idea de pasar la Navidad fuera de San Diego, en Big Bear Mountain. Me pareció excelente esa idea, –¡hacer algo diferente, fuera de nuestra casa!– No hubiera soportado estar en casa en esos días. Pasamos muy buen tiempo en una linda cabaña rodeada de nieve. Nunca olvidaré esa primera Navidad sin Omar, no pude evitar llorar y entristecerme ese día, pero fuimos rodeados del amor y el apoyo de la familia, eso nos ayudó a pasar ese momento tan difícil y tan temido por lo menos para mí.

Después de la Navidad seguía el primer aniversario de la muerte de Omar, y por más que tratáramos de no pensar en lo que había sucedido un año antes, era imposible no hacerlo; pero el alejarnos, aunque fuera unos días de la ciudad y de la cena tradicional de Navidad en San Diego fue muy bueno. Le doy muchas gracias a Dios por habernos permitido hacer eso. Es muy importante el apoyo de la familia en esas fechas tan significativas para el que está sufriendo. ¡Le doy muchas gracias a Dios por la familia!

LAS DOS OPCIONES

Poco a poco nos fuimos reintegrando a nuestras actividades "normales". Sabíamos, estábamos seguros de que, si hubiéramos querido, podíamos habernos quedado deprimidos y tristes por el resto de nuestra vida, la decisión era nuestra, teníamos dos opciones:

1. Escoger vivir el resto de nuestra vida amargados y resentidos con Dios y con el mundo por lo que había sucedido, hundidos en auto-lástima.
2. Agradecerle a Dios el tiempo que nos permitió conocer, amar y disfrutar a Omar, y pedirle ayuda para poder seguir adelante con nuestra vida a pesar de nuestra pérdida, así poder vivir vidas libres de amargura y resentimiento.

Decidimos elegir la segunda opción. ¡Fue la mejor decisión que podíamos haber tomado! No fue fácil, pero vivíamos un día a la vez, con la ayuda de Dios; esperando a que llegara el día en que pudiéramos recordar a nuestro Omar sin dolor y sin pena por nosotros mismos.

CERRANDO CÍRCULOS

Cuando decidimos seguir el deseo de Omar de ser cremado y de que sus cenizas fueran derramadas en el mar, hicimos lo primero, pero las cenizas seguían en nuestra casa, en la urna –que no parecía urna– decorando nuestra sala. Y de alguna manera que no entendíamos ni sabíamos en ese momento, el conservar las cenizas en nuestra casa, era como una manera de aferrarnos a sus restos y de tenerlo aún con nosotros, ninguno en la familia tocábamos el tema.

Hasta que un día llegó una amiga que no vivía en San Diego, ella estaba de visita con su familia en Tijuana, vino a visitarme y me preguntó qué habíamos hecho con las cenizas, yo le mostré la urna muy orgullosa de conservar sus cenizas, y ella guiada por Dios, estoy segura de eso, con mucho respeto y prudencia, me dijo que era tiempo de soltarlas, de cerrar ese círculo; yo lloré pues sabía que tenía razón, y recibí de parte de Dios sus palabras. Mi amiga se fue después de orar por mí y por mi familia. Cuando me quedé a solas, le pedí a Dios que me diera las palabras correctas para hablar con mi esposo y mis hijos acerca de esto; cuando ya estaban todos en casa, les comenté lo que me había dicho mi amiga. Mi esposo y Viviana se molestaron de momento, me dijeron que quien se creía ella como para decirnos qué hacer al respecto.

Solo les dije que entendía perfectamente lo que estaban sintiendo pues también lo sentí; aunque yo ya estaba segura de que eso era lo correcto para nuestra propia sanidad emocional, respetaría el tiempo que ellos necesitaran para aceptarlo. Pasaron unos días, ni siquiera una semana, cuando me dijeron que ya estaban listos, hacerlo, realmente fue un descanso para mí. De alguna manera, sabía que algo bueno pasaría en nuestra vida al llevarlo a cabo.

Hablamos con un amigo que nos ayudó a rentar el bote y hacer los trámites para tirar las cenizas en el mar, pusimos una fecha; estábamos a la expectativa de lo que sucedería ese día, pero había una emoción extraña, la seguridad de que eso era hacer lo correcto. Fue un día muy especial, nos levantamos muy temprano, con la seguridad de que al hacer eso, daríamos un paso hacia adelante en el proceso de sanidad en nuestros corazones. ¡No nos equivocamos!

Fuimos mi esposo, mis dos hijos, mi yerno (que en ese tiempo era novio de Viviana) y nuestro buen amigo Jorge. Recuerdo perfectamente ese día; el sol brillaba en su esplendor, el mar estaba más calmado que de costumbre, fue un día perfecto para lo que haríamos, no había absolutamente nada de viento, cosa rara en el mar, y comenzamos a bogar mar adentro, había una atmósfera de gozo inexplicable; yo sentía mariposas en el estómago, íbamos platicando y hasta bromeando en el camino. Llegamos a un punto en el mar en donde podíamos tirar las cenizas; se detuvo el pequeño bote y todos nos callamos, comenzó el nerviosismo a apoderarse de nosotros.

Mi esposo se armó de valor y abrió la urna, sacó la bolsa de plástico con los restos de nuestro hijo, y comenzó a hablar, a darle gracias a Dios por Omar, a despedirse de él y a soltar poco a poco las cenizas; todos estábamos estáticos, escuchando y viendo lo que mi esposo hacía. Las lágrimas comenzaron a correr, algo dentro de nosotros se estaba desgarrando por dentro, desprendiendo, –¡claro que dolía!– Mi esposo, mientras se despedía de su hijo, lloraba inconsolable, nosotros también, nuestros ojos estaban fijos en las cenizas.

Antes de ese día yo trataba de imaginarme cómo sería eso, tenía temor de que las cenizas se desparramaran por todas partes, y volaran entre nosotros. Fue increíble que no hubiera ni siquiera un poco de viento en ese momento, las cenizas cayeron juntas en el mar y se fueron desapareciendo de nuestra vista, se fueron juntas figurando una mancha en el agua, las vimos desaparecer, irse como nadando lejos de nosotros, nuestras miradas estaban fijas en el mar, así podíamos habernos quedado todo el día.

De pronto, apareció de la nada un pelícano y cayó enfrente de nosotros en el mar, sacándonos de nuestro ensimismamiento; todos sonreímos al ver eso, parecía que Dios quería decirnos:

¡YA, DÉJENLO IR, ¡REGRESEN A TIERRA Y SIGAN ADELANTE!

Rodrigo manejó el bote de regreso a tierra, y todos nos sentíamos libres, sentía que un peso muy grande había sido levantado de mis hombros, no puedo explicar con palabras lo bueno que fue cerrar ese círculo, lo que sí puedo decir es que a partir de ese día ¡todo fue más fácil!

Fuimos a desayunar y tuvimos una convivencia muy amena, regresamos a casa diferentes, comentando todos lo bueno que fue hacer eso, todos llegamos a la conclusión de que al morir queríamos que se hiciera lo mismo con nuestros restos.

¡Sin duda fue un escalón más, hacia nuestra sanidad interior!

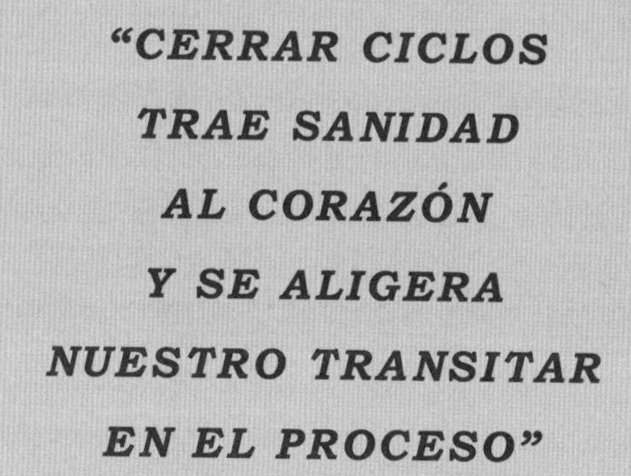
"CERRAR CICLOS
TRAE SANIDAD
AL CORAZÓN
Y SE ALIGERA
NUESTRO TRANSITAR
EN EL PROCESO"

CAPÍTULO CINCO
DAÑOS COLATERALES

PÉRDIDAS SECUNDARIAS

Cuando pierdes a un hijo, no solo pierdes a la persona, pierdes el futuro que soñabas tener con esa persona. Verlo realizarse como hombre, casarse y formar una familia, pierdes el derecho de ser abuela de sus hijos, pierdes la oportunidad de verlo crecer, equivocarse quizás, ayudarlo en su caminar, y muchas cosas más.

Cada vez que un amigo de Omar se casaba, mi mente volaba hacia lo que hubiera sido si él estuviera vivo, –¿ya estaría casado?, ¿o estaría por casarse?– Cada vez que un amigo de él tenía un hijo, me imaginaba cómo hubieran sido los hijos de Omar, ¿a quién se parecerían? La nube se posaba sobre mí, la nostalgia y la tristeza eran inevitables.

NUESTRAS VIDAS CONTINUABAN

Mi hija se iba a casar y se iría a vivir a Tucson, Arizona, lo cual nos daba mucha alegría por ella, pues Viviana amaba mucho a su novio y realmente eran el complemento el uno del otro, nosotros amábamos mucho a Abraham también; era como un hijo para nosotros, pero nos entristecía la idea de que nuestra hija se fuera a vivir a otra ciudad. También nos daba un poco de temor pensar en Rodrigo, en que se quedaría sin su hermana –¡pero Dios nos tenía una sorpresa!– Él nos dio un amor sobrenatural por Tucson y sin pensarlo dos veces nos mudamos a esa bella ciudad.

Pensamos que un cambio nos vendría bien a todos, especialmente a Rodrigo y no nos equivocamos. Llegamos a Tucson expectantes de lo que Dios haría en nosotros allá, íbamos muy contentos y agradecidos con Dios por permitirnos hacer ese cambio. Lo vimos como una nueva oportunidad en nuestra vida, un nuevo comienzo para la familia. Viviana se casó el mismo año que nos mudamos a Tucson.

Fue una boda hermosa, todos estábamos muy contentos y muy agradecidos con Dios, pero no dejamos de entristecernos por no tener a Omar en la boda; hacía solo dos años que él había partido –fueron solo unos momentos–, nos sacudimos la tristeza y la nostalgia para no permitir que esos sentimientos nos privaran de disfrutar ese momento tan especial en la vida de nuestra hija.

Un año más tarde, nuestros hijos llegaron a nuestra casa con la hermosa noticia de que ¡seríamos abuelos! A mi esposo y a mí no nos cabía la felicidad en el pecho. Recuerdo muy bien ese día, cómo gritamos de alegría y le dimos gracias a Dios por tanta felicidad.

Un par de meses más tarde, recibimos la triste noticia de que habían perdido a nuestro nieto; fue un golpe muy duro, una desilusión muy grande, ya había comprado muñecos de peluche y otras cosas para mi nieto(a); una herida profunda se abrió de nuevo en nuestros corazones.

Una vez más el luto invadió nuestras vidas. Todavía no nos recuperábamos de la pérdida cuando nos dan la noticia de que estaban de nuevo embarazados, le dimos tantas gracias a Dios por otra oportunidad. Todo iba muy bien, hasta que, en una visita de rutina, al hacerle el ultrasonido el doctor se da cuenta de que el corazón del bebe no latía, yo estaba sola en casa, cuando ellos llegaron a darme la dolorosa noticia; esta vez no reaccioné tan bien como en las pérdidas anteriores, ¡estaba muy, pero muy enojada! Cuando mis hijos se fueron de mi casa entré en una crisis, ¡me volví loca de dolor!

Le reclamé a Dios. No podía creer que eso estuviera pasando, no era solo el dolor por la pérdida de mi nieto(a), sino doble dolor, pues sabía lo que mis hijos estaban sufriendo, y me dolía mucho su dolor.

Después de la crisis que enfrenté, de llorar y gritar como una loca, me metí a mi cama y me tapé completamente; entré en una depresión profunda, esta vez no quería salir de allí, estaba muy enojada, según yo estaba castigando a Dios con mi depresión. ¡QUE TONTERÍA!

Dios es tan bueno, que nos entiende, y no nos toma a mal ese tipo de reacciones, pero después de unas horas, tuve que salir de ese agujero en el que me metí por decisión propia, pues mi hija me necesitaba más que nunca. Ella todavía tenía que enfrentar el dolor de dar a luz a un bebé sin vida, aunque era aún muy pequeño, ella tuvo que pasar por el proceso normal del parto, y quería estar con ella en ese momento tan difícil.

Recuerdo que mi sobrina me habló por teléfono para preguntarme cómo estaba su prima, yo estaba muy enojada y no tenía intención de disimular mi enojo, ella me dijo: "tía, tienes que estar bien para mi prima", yo le contesté: "¿y quién está por mí?" Tuve que colgar pues de mis labios no salía nada bueno.

Gracias a Dios por su misericordia y paciencia para conmigo, –¿cómo podía yo decir algo así?– ¡Claro que Dios estaba conmigo y por mí; estaba con mis hijos y por ellos! Esa noche lloré mucho, le pedí perdón a Dios, y su paz me envolvió de nuevo.

El duelo fue muy fuerte, fue como revivir la muerte de Omar, más la pérdida del primer nieto, más esta nueva pérdida; no fue fácil, pero una vez más, teníamos dos opciones:

1. Decidir vivir enojados con Dios y con el mundo, amargados y resentidos el resto de nuestras vidas.
2. Darle gracias a Dios por su misericordia y porque Su voluntad es buena, agradable y perfecta, (aunque de momento no la entendamos, ni lo veamos así), y así vivir libres de amargura y resentimiento.

Por supuesto que escogimos la segunda opción. Cuando pasamos por este tipo de procesos tendemos a culpar a Dios, a enojarnos con Él por permitir tanto dolor, Dios no es culpable de nada, por el contrario, está ahí, aunque no lo veamos o sintamos, siempre está cerca para consolarnos y atravesar con nosotros ese valle de dolor y tristeza, Dios Padre comprende perfectamente nuestro dolor, también sufrió la muerte de su único Hijo de una manera terrible en la Cruz.

¡Si tan solo nos diéramos la oportunidad de desahogarnos con Él y de soltarnos en sus brazos!

> *"Como aquel a quien consuela su madre, así los consolaré yo a vosotros". Isaías 66:13 RVR60*

No tardó el precioso consolador en llegar y limpiar mis heridas, a traer paz y calma en medio de la tormenta, ¡DIOS ES BUENO!

Seguimos adelante a pesar de nuestras pérdidas y pudimos ver al amor de Dios sanando nuestros corazones y fortaleciendo nuestra vida.

FUE EN EL 2006

Recuerdo muy bien el día en el que nació mi primera nieta, fue un día muy especial, un día muy esperado, después de dos perdidas involuntarias, finalmente, ¡Dios nos bendecía con el nacimiento de nuestra primera nieta! ¡Cuánto lloramos de alegría cuando la vimos por primera vez! Fueron tantos sentimientos encontrados, una alegría indescriptible, mucho agradecimiento a Dios por concedernos el privilegio de ser abuelos, tíos y, sobre todo, a mis hijos el privilegio de ser padres. ¡Viviana Bella! le pusieron por nombre, ¡era la niña más bella del mundo!, ¡la más esperada y amada! Nuestras vidas jamás volvieron a ser las mismas después de ese día, ¡Dios ha sido muy, pero muy bueno con nosotros!

Ese día nuestros corazones fueron consolados, refrescados y llenos, por ese acontecimiento, si hay algo seguro en la vida, es la muerte, nadie se escapa de ella, no importa qué tan buenos o malos seamos, qué tanto nos cuidemos o descuidemos físicamente, qué tan ricos o qué tan pobres seamos, –TODOS– pasaremos por ella. Pero qué hermoso es ver el milagro de la vida, cómo Dios en su infinito amor y perfección crea dentro del vientre de una mujer a un ser maravillosamente perfecto, no hay palabras para agradecerle a Dios tanto amor. ¡Esa niña vino a alegrar nuestras vidas y a darle un nuevo sentido y propósito!

> *"Tú creaste las delicadas partes internas de mi cuerpo y me entretejiste en el vientre de mi madre. ¡Gracias por hacerme tan maravillosamente complejo! Tu fino trabajo es maravilloso, lo sé muy bien".* Salmos 139:13-14 NTV

Cuando pensábamos que ya no podía Dios bendecirnos más, tres años más tarde Él nos bendijo con nuestra segunda nieta, –¡Alexa Victoria!–, hermosa y sana. A pesar de haber nacido de veintiocho semanas y de los terribles diagnósticos médicos, Dios una vez más nos demostró su gran amor y poder al hacer exactamente lo contrario de lo que la ciencia decía que le pasaría, cuánta alegría y agradecimiento sentíamos al verla evolucionar positivamente conforme pasaban los días, ¡no podíamos estar más agradecidos con Dios por tanto amor! Nuestras nietas fueron un consuelo para nuestro corazón, ellas alegraban y llenaban nuestras vidas, verlas crecer, amarlas, cuidarlas, disfrutarlas, ¡ha sido lo máximo! Dios es infinitamente bueno.

EL TIEMPO

Dicen por ahí que el tiempo lo cura todo, en mi experiencia puedo decir, que el tiempo no cura ¡NADA! El único que cura todo es ¡DIOS! Lo que yo he podido experimentar con el tiempo es que éste no se detiene y que tampoco se recupera. No importa cuánto deseemos que se detenga hasta que pase nuestro dolor, eso no es posible, y no importa cuánto queramos hacer para recuperar el tiempo perdido, tampoco es posible.

Esto es lo que Dios dice acerca del tiempo:

> *"Todo tiene su tiempo, y todo lo que se quiere debajo del cielo tiene su hora: tiempo para nacer, y tiempo para morir; tiempo para plantar, y tiempo para cosechar; un tiempo para matar, y un tiempo para sanar; un tiempo para destruir y un tiempo para construir; un tiempo para llorar y un tiempo para reír; un tiempo para estar de luto, y un tiempo para saltar de gusto; un tiempo para esparcir piedras, y un tiempo para recogerlas; un tiempo para abrazarse y un tiempo para despedirse; un tiempo*

para intentar, y un tiempo para desistir; un tiempo para guardar, y un tiempo para desechar; un tiempo para rasgar, y un tiempo para coser; un tiempo para hablar y un tiempo para callar...". Eclesiastés 3:1-7

"Un tiempo para nacer y un tiempo para morir", nos emocionan los días de nacimiento, pero no nos gustan los días de muerte, y Dios nos dice claramente que tanto lo uno como lo otro tiene su tiempo, que hay un día para cada evento, tanto para nacer como para morir, no nos debe de sorprender la muerte.

También nos dice que hay *"un tiempo para llorar y un tiempo para reír"*. Está bien llorar, pero no pasarnos del tiempo, pues también viene el tiempo de volver a reír. Después de que nuestro ser querido parte, podemos llegar a pensar que no se vale volver a ser feliz sin él/ella, y a veces sentimos el deseo de disfrutar, de reír como antes, pero nos consideramos culpables por querer hacerlo; no debemos de sentirnos así, ¿tú crees que a tu ser querido le gustaría verte llorando todo el tiempo? Yo creo que NO, a mí no me gustaría que al partir yo, mis hijos, mis nietos y mi esposo se negaran a volver a reír y a disfrutar la vida.

De igual forma nos dice que hay *"un tiempo para estar de luto y un tiempo para saltar de gusto"*; ¿esto quiere decir que el luto tiene un fin? – ¡Claro que sí! –, gracias a Dios por ello. Hay personas que viven un luto eterno, y pierden su propósito de vida por negarse a salir del luto; el tiempo es diferente para cada quién, pero tenemos que ir avanzando hacia el fin del luto, no nos podemos estancar en el dolor y la tristeza.

"Un tiempo para abrazar y un tiempo para despedirse"; tenemos también que despedirnos de nuestro ser amado, no de su recuerdo, pero sí de tratar de retenerlo enfermizamente.

"Un tiempo de guardar y un tiempo de desechar"; cuando estamos atravesando el duelo, guardamos muchas cosas que nos lastiman; para ti puede ser algo muy diferente que, para mí, está bien que lo hagamos por un tiempo, pero llega el momento de desechar todo lo que nos hace daño y hay que hacerlo.

"Un tiempo de hablar y un tiempo de callar"; sé cuán importante es para el que se queda hablar del que se fue; pero también hay un tiempo para hacerlo y llega el tiempo de dejar de hacerlo. Mi tiempo puede ser diferente al tuyo, pero te aseguro que a todos nos llega el momento.

Gracias a Dios por su ayuda y su amor incondicional, nuestros corazones fueron sanando y nuestro dolor desapareciendo; pudimos seguir adelante con nuestras vidas, agradecidos por lo que tenemos y por la oportunidad que Dios nos da de seguir vivos y no solo vivos desperdiciando el tiempo precioso que Él nos regala, sino disfrutando de cada momento que tenemos para valorar a la familia, los amigos, la salud y el bienestar que Dios nos da para seguir con el propósito de Él en nuestra vida.

Después de la muerte de Omar, el cielo fue más real para mí que la tierra; me dediqué a buscar en la Biblia todo lo que ella dice acerca del cielo, y es realmente emocionante lo que encontré, todo lo que dice acerca de la esperanza de la resurrección y de la promesa de que volveremos a ver a nuestro querido Omar, – ¡no puedo esperar por ese día!

> *"Y ahora amados hermanos, queremos que sepan lo que sucederá con los creyentes que han muerto, para que no se entristezcan como los que no tienen esperanza. Pues, ya que creemos que Jesús murió y resucitó, también creemos que cuando vuelva, Dios traerá junto con él a los creyentes que hayan muerto". 1Tesalonicenses 4:13-14 NTV*

¡Esta es una promesa!

Cuando Jesús regrese, vendrá con nuestros amados que se nos adelantaron, yo lo creo firmemente, no tengo ninguna duda de que volveré a ver a mi hijo y a cada ser amado que está con Jesús.

> *"Pues sabemos que, cuando se desarme esta carpa terrenal en la cual vivimos (es decir, cuando muramos y dejemos este cuerpo terrenal), tendremos una casa en el cielo, un cuerpo eterno hecho para nosotros por Dios mismo y no por manos humanas. Nos fatigamos en nuestro cuerpo actual y anhelamos ponernos nuestro cuerpo celestial como si fuera ropa nueva. Pues nos vestiremos con un cuerpo celestial; no seremos espíritus sin cuerpo. Mientras vivimos en este cuerpo terrenal, gemimos y suspiramos, pero no es que queramos morir y deshacernos de este cuerpo que nos viste. Más bien, queremos ponernos nuestro cuerpo nuevo para que este cuerpo que muere sea consumido por la vida. Dios mismo nos ha preparado para esto, y como garantía nos ha dado su Espíritu Santo. Así que siempre vivimos en plena confianza, aunque sabemos que mientras vivamos en este cuerpo no estamos en el hogar celestial con el Señor. Pues vivimos por lo que creemos y no por lo que vemos. Sí, estamos plenamente confiados, y preferiríamos estar fuera de este cuerpo terrenal porque entonces estaríamos en el hogar celestial con el Señor. Así que, ya sea que estemos aquí en este cuerpo o ausentes de este cuerpo, nuestro objetivo es agradarle a Él". 2Corintios 5:1-9 NTV*

¡Wow! Que clara es la Palabra, nuestro cuerpo nos sirve para transportarnos mientras estamos aquí en la tierra, pero llegará el día en el que seremos transformados y tendremos un cuerpo nuevo, sin limitaciones, sin imperfecciones, esa es la transición de la muerte a la vida eterna. Esta Escritura nos habla también de un hogar celestial, ¡me puedo imaginar la belleza de ese hogar!

Filipenses 3:20-21 NTV nos dice:

> *"En cambio, nosotros somos ciudadanos del cielo, donde vive el Señor Jesucristo; y esperamos con mucho anhelo que él regrese como nuestro Salvador. Él tomará nuestro débil cuerpo mortal y lo transformará en un cuerpo glorioso, igual al de él. Lo hará valiéndose del mismo poder con el que pondrá todas las cosas bajo su dominio".*

> *"Entonces vi un cielo nuevo y una tierra nueva, porque el primer cielo y la primera tierra habían desaparecido y también el mar. Y vi la ciudad santa, la nueva Jerusalén, que descendía del cielo desde la presencia de Dios, como una novia hermosamente vestida para su esposo. Oí una fuerte voz que salía del trono y decía: ¡Miren, el hogar de Dios ahora está entre su pueblo! Él vivirá con ellos, y ellos serán su pueblo. Dios mismo estará con ellos. Él les secará toda lágrima de los ojos, y no habrá más muerte ni tristeza ni llanto ni dolor. Todas esas cosas ya no existirán más". Y el que estaba sentado en el trono dijo: ¡Miren, hago nuevas todas las cosas! Entonces me dijo: escribe esto, porque lo que te digo es verdadero y digno de confianza". Apocalipsis 21:1-5 NTV*

¡Wow! Que buena, clara y alentadora es la palabra de Dios ¿no es cierto?

> *"No dejen que el corazón se les llene de angustia; confíen en Dios y confíen en mí. En el hogar de mi Padre, hay lugar más que suficiente. Si no fuera así, ¿acaso les habría dicho que voy a prepararles un lugar? Cuando todo esté listo, volveré para llevarlos, para que siempre estén conmigo donde yo estoy". Juan 14:1-3 NTV*

¿Te puedes imaginar? Si en el principio Dios creó en seis días el cielo, la tierra y todo lo que en ellos hay y estamos enamorados de la belleza de todo lo que Dios creó en la tierra; el mar, el sol, la luna, las estrellas, las flores, los árboles, las montañas, la lluvia, la nieve, el calor, el frío, la diversidad de colores, de animales, ¿te imaginas cómo será la casa que Dios está preparando para nosotros en el cielo, hace más de dos mil años? Si todo lo que conocemos y vemos aquí lo hizo en solo seis días, ¡me puedo imaginar la belleza que hay en el cielo! Cuando Jesucristo tiene más de dos mil años preparando ese lugar.

La muerte tuvo otro significado para nosotros después de la partida de Omar, ya no la vemos como algo trágico, sino como una transición de vida. La muerte para el creyente no es el fin, es el principio de una vida plena, sin limitaciones físicas, sin dolor, sin llanto; la muerte para el creyente es el principio del destino de Dios para nosotros desde antes de que fuésemos creados.

¡Bendita esperanza! Veremos de nuevo a nuestro hijo, y a todos nuestros seres queridos que hayan muerto.

UNA PÉRDIDA MÁS

En 2013 partió con el Señor a los 96 años mi querida madre. Yo estaba en Tucson en una cena, cuando mis hermanas me llamaron para avisarme que la habían llevado al hospital pues le había dado un dolor muy fuerte en el vientre. En ese año había pasado por el hospital varias veces, me esperé unos días antes de viajar a San Diego para ir a verla, esperando que como en las otras ocasiones la dieran de alta, pero esta vez no fue así. Mis hermanos llamaron para que apresurara mi viaje, pues mi madre estaba inconsciente y se veía muy mal.

Dentro de mí, sabía que el final se acercaba y de alguna manera el temor de enfrentar de nuevo a la muerte estaba presente, no quería enfrentar otra pérdida, pero fuera o no fuera, la pérdida sería inevitable. Finalmente me organicé y volé a San Diego. Mi madre estaba inconsciente, sedada; los doctores sugirieron no operar pues no resistiría la cirugía, y solo quedaba el esperar su partida. Un cúmulo de emociones me invadía, esa nube tan conocida, venía de nuevo a posarse sobre mí.

A pesar de que mi madre estaba inconsciente, se podía notar el dolor que sentía, como dije en el primer capítulo, soy muy sensible ante el dolor emocional, y si lo puedo evitar, lo hago; me dolía mucho ver a mi mamá sufriendo por el dolor en su cuerpo. Los médicos decían que le quedaban pocos días de vida, que ya no había nada que hacer. En pocas palabras, solo quedaba esperar a que ella partiera a su morada eterna. Fueron unos días terribles, dormíamos poco, y pasábamos casi todo el día mis hermanos y yo en el hospital. Cuando yo estaba a solas con mi mamá, le hablaba y le decía cuánto la amaba y cuán agradecida estaba con Dios por habérmela dado a ella por madre, le decía que era la mejor madre del mundo; le pedí perdón por no haber sido la hija que ella merecía; le recordaba que Jesús estaba preparando todo para recibirla en el cielo; le besaba las manos, la cara, y cuando ya no podía más, lloraba hasta que me faltaban las fuerzas para llorar. Cada día que pasaba se acercaba más la despedida final.

El día que partió, estaba yo sola con ella y de alguna manera sabía que ya era el fin. Era por la mañana, les hablé a mis hermanos, dos de ellos estaban trabajando, y mi hermana mayor se preparaba para venir al hospital. Les dije que se apuraran pues nuestra mamá se estaba yendo; ellos llegaron muy rápido y la alcanzaron todavía con vida, cada uno se despidió de ella.

Llamé a mi esposo y le dije que mi mamá estaba a punto de morir; él estaba en Tucson trabajando, me dijo que tomaría el primer avión, le dije que no tenía caso, pues ya no la alcanzaría viva, que prefería que estuviera en los servicios funerarios conmigo, lo cual fue una decisión equivocada; en momentos tan difíciles como esos es cuando más necesitamos a nuestro cónyuge a nuestro lado; él me preguntó varias veces que, si estaba segura de que quería eso, y yo le contesté que sí.

MI MADRE PARTIÓ

Mis hermanos y yo nos abrazamos y lloramos, aunque mi madre había vivido una larga vida y sus últimos años fueron los mejores de su vida, como seres humanos imperfectos que somos, en nuestro egoísmo queríamos tenerla para siempre, eran sentimientos encontrados, por un lado, el descanso de saber que ella ya no sufría más, que ya estaba en el paraíso en su nuevo hogar con su Padre Celestial, con su hija, con sus nietos y bisnietos, y por el otro lado, la tristeza de saber que ya no estaría más con nosotros aquí.

Después de que se llevaron el cuerpo de mi mamá a la funeraria, (a la misma en la que tuvimos el servicio de celebración de la vida de Omar) nos fuimos a comer, contamos anécdotas de nuestra madre y recordamos muchos momentos que pasamos juntos, buenos y malos, después de comer nos despedimos para irnos a descansar; me puse de acuerdo con mis hermanas para ir a la funeraria al día siguiente para ultimar los detalles del servicio fúnebre.

Cuando llegué al cuarto en donde dormiría en casa de mi hermana Norma, una nube negra se posó sobre mí, –¡fue horrible!– lo que yo sentía era muy diferente a lo que había sentido en mis pérdidas anteriores; me sentía sola, desamparada, un dolor muy grande oprimía mi pecho, podía escuchar los murmullos de mi hermana y mi cuñado hablando en su cuarto, no entendía lo que decían, pero sabía que estaban hablando, –¡cómo me hacía falta mi esposo!– me arrepentí tanto de haberle dicho que no se viniera ese día. Mi esposo no estaba, pero –¡DIOS SÍ!– Y como siempre, Él me abrazó y me consoló esa noche.

> *"Ciertamente consolará Dios a (Laura); consolará todas sus soledades, y cambiará su desierto en paraíso, y su soledad en huerto de Dios; se hallará en ella alegría y gozo, alabanza y voces de canto". Isaías 51:3 RVR60*

Qué importante es tener la palabra de Dios fresca y cerca de nosotros en momentos de dolor y desesperanza. Él nos ama tanto y tiene cuidado de nosotros siempre, como dice ese Salmo, no solo nos consuela, sino que transforma el dolor en algo bueno, de tal modo que podemos darle gracias y volver a estar alegres para disfrutar de todo lo que Él en su infinita misericordia nos da. No supe en qué momento me dormí, y muy temprano al abrir los ojos, la nube seguía sobre mí. Nos fuimos a la funeraria, en cuanto entramos comencé a sentir que me faltaba el aire, me costaba mucho trabajo respirar, me estaba dando un ataque de ansiedad.

Como una película en mi cabeza; volví a revivir el funeral de mi hijo, la cabeza me comenzó a dar vueltas, estaba mareada, lo que quería era no solo salir corriendo de ese lugar sino de San Diego; como nunca antes, ansiaba llegar a mi casa en Tucson, me aparté a una esquina de la habitación en la que estábamos con la encargada de los trámites del servicio, busqué un vuelo a Tucson, y lo compré, les dije a mis hermanas que me tenía que ir, pues el servicio sería una semana después, –¡y yo no podía estar un minuto más allí!

Le hablé a mi esposo para que fuera por mí al aeropuerto. Cuando me subí al avión, poco a poco la respiración se fue normalizando, pero lo que yo sentía no lo podía entender, nunca me había sentido así.

Le pregunté a Dios: "¿qué es lo que estoy sintiendo?" – Le quería poner nombre al sentimiento, pues yo sabía que había un nombre para ese sentimiento, y de pronto me vino la respuesta, ¡ME SENTÍA HUÉRFANA! Sentía como si me hubieran cortado el cordón umbilical, una soledad terrible, aplastante, me sentía ¡DESAMPARADA!

> *"Padre de huérfanos y defensor de viudas es Dios en su santa morada, Dios hace habitar en familia a los desamparados". Salmos 68:5-6a RVR60*

Una vez más Su palabra cobró vida en mí, ¡Dios es nuestro Padre y nunca nos deja ni nos desampara! He podido vivir esa palabra en mi vida.

Llegué a Tucson y mi esposo me esperaba en el aeropuerto con devastación y preocupación en el rostro, él quería mucho a mi mamá y estaba pasando por su propio duelo. En el camino a casa me desahogué con él, le dije que me hizo mucha falta, él se sintió muy mal por mí, "no te sientas mal, fue mi culpa, yo te pedí que no vinieras, nunca me imaginé la falta que me harías esa noche" –le dije.

Me abrazó y lloramos juntos, llegando a casa me metí a la cama y me tapé hasta la cabeza, la tristeza se estaba convirtiendo en depresión, yo conocía muy bien esos sentimientos, mi esposo estaba muy preocupado por mí, y no hallaba cómo consolarme, no hallaba qué darme. No había nada que él pudiera hacer para sacarme de ese lugar de tinieblas, más que orar por mí, una vez más necesitábamos a Dios obrando sobrenaturalmente en nuestras vidas.

Mis amigas me hablaban por teléfono para darme el pésame, yo no quise hablar con nadie. Fueron unos días terribles, de mucho dolor y tristeza, recuerdo, que hablé con mis hijos y con mi esposo, les dije que yo no quería ir al funeral, que no podría soportar un funeral más. Ellos se me quedaron viendo atónitos, me dijeron que lo que yo decidiera hacer estaba bien, realmente estaban preocupados pues nunca esperaron esa reacción mía.

Una vez que tomé esa decisión me sentí mejor, mi cuerpo estaba quebrado, mi alma también, pero pensar en no pasar por una funeraria más me daba un poco de alivio.

DIOS ESTABA EN TODOS LOS DETALLES

Recuerdo que mi esposo me preguntó: –"qué puedo hacer por ti, dime, lo que quieras, yo lo hago" –me quedé pensando por unos segundos, –"¿me llevas a Scottsdale?", –le pregunté –se me quedo viendo sorprendido y me contestó: "¡VAMOS!" Esa hora y media que pasamos juntos en el auto, nos fuimos hablando, platicando de cómo nos sentíamos, fue muy bueno pasar ese tiempo juntos; mi esposo me dio su apoyo de una manera tan sensible, que en verdad me ayudó enormemente, me sentía protegida, amparada y muy amada por él, podía sentir el amor de Dios a través del amor de mi esposo y verlo a Él (a Dios) en cada detalle.

Estuvimos unas seis horas en un centro comercial que me gusta mucho, solo en dos tiendas, mi esposo con toda la paciencia del mundo me esperó sentado en una banca afuera de la tienda, en ningún momento me apuró, ni me dio alguna señal de molestia o de impaciencia, todo lo contrario, yo salía para ver cómo estaba y él me decía: "yo estoy bien, tómate todo el tiempo que necesites, aquí te espero".

¡Wow! No tengo palabras para agradecerle a Dios por la vida de mi esposo, ¡él es lo máximo! El mejor esposo que alguien pudiera tener. Salí con algunas bolsas de las compras que hice, me sentía mucho mejor, sin duda me sirvió de distracción y de relajación ese tiempo en las tiendas.

Después de allí, me preguntó que, si qué más quería hacer, (no podía creer lo que escuchaba). Sabía que mi esposo se estaba sacrificando por mí, a muy pocos hombres les gusta ir a las tiendas con su esposa, mi esposo por amor lo hace la mayoría de las veces que se lo pido; pero ese día se me fue la mano; fue todo el día, y todavía estaba dispuesto a seguirle, todo con una súper buena actitud. Le dije que tenía hambre, que fuéramos a cenar; fuimos a un restaurante cerca de allí, seguimos platicando, desahogándome con él, la paciencia y el amor con el que mi esposo me trataba, no podían venir más que de parte de Dios, podía verlo y sentirlo a través de mi esposo, me sentía muy apapachada y cuidada, después de cenar, tomamos camino para regresar a casa.

Esa noche dormí muy bien, y al día siguiente era otro el panorama. Les dije a mi esposo y a mis hijos que ya estaba lista para enfrentar lo que seguía; que era ir a San Diego al servicio funerario. Me di cuenta de lo importante que es tener a tu pareja contigo en momentos tan difíciles como estos, de sentir su amor y apoyo incondicional; el dolor compartido con la persona más importante después de Dios en tu vida se siente mucho más ligero.

Días después salimos camino a San Diego para estar en la funeraria con nuestra familia. En el camino les platiqué a mis hijos de cómo me había sentido al entrar a la funeraria, previniéndoles, pues de alguna manera, tenía miedo de que les pasara lo mismo.

Y no me equivoqué, íbamos muy bien los cuatro en el auto, platicando normal, y al entrar a la funeraria, mi esposo y mi hijo, abrieron las puertas del cuarto en el que había estado el cuerpo de nuestro hijo Omar, y los dos salieron de ese cuarto sofocados, tal y como me pasó a mí, se estaban ahogando, ya no pudieron entrar más a la funeraria.

Fue como si todas las pérdidas se hubieran empalmado, volvían a estar tan frescas como cuándo sucedieron. De nuevo el dolor por el dolor que ellos estaban sintiendo me embargaba, estuve con ellos buen tiempo afuera de la funeraria, lloramos abrazados mucho tiempo. Llegó Gloria mi amiga querida al rescate, ella se quedó hablando con mi hijo y yo pude entrar a la funeraria ya casi al final del servicio.

DIOS SIEMPRE ESTÁ EN CONTROL

Mi esposo y mi hijo, esa noche no pudieron dormir bien, el cuerpo les temblaba como si tuvieran fiebre. Los días siguientes estuvieron como yo, con la nube sobre de ellos, podía ver la confusión y el dolor en sus rostros. Al día siguiente del servicio en la funeraria de mi madre, muy temprano, después de desayunar nos regresamos a Tucson y las seis horas de camino nos sirvieron para hablar de nuestros sentimientos, para darnos apoyo mutuo y seguimos con el proceso del duelo, pero con una apertura diferente.

Nos dimos cuenta de que ese acontecimiento abrió la puerta para enfrentar áreas no resueltas de las pérdidas anteriores.

En nuestras emociones sucede como en nuestro cuerpo, nos damos cuenta de que tenemos un problema por los síntomas: dolor de cabeza, cuerpo cortado, cansancio, temperatura, son señales de algún problema en nuestro cuerpo, y al principio lo tratamos con medicamentos que podemos comprar sin receta médica, y se controla por un tiempo; pero al rato regresan los síntomas, no es hasta qué vamos a ver al médico y nos hacen los exámenes pertinentes que sabemos qué es lo que está provocando esos síntomas, al recibir el tratamiento adecuado para extraer de raíz el problema es cuando realmente podemos ser libres de él.

Lo mismo sucede en nuestras emociones, cuando hay áreas no resueltas en ellas, cuando no enfrentamos la raíz del problema adecuadamente, (cada quién encuentra la manera de sobrellevar el dolor con diferentes cosas y de distintas formas), que "funcionan" temporalmente, pero mientras que no lo enfrentemos correctamente, los síntomas de: tristeza, depresión, amargura, cansancio emocional, enojo, temor, culpabilidad, soledad, inseguridad, desánimo, continuarán drenando nuestra vida y robándonos el poder vivir a plenitud.

No es, hasta que somos confrontados con esas áreas, que le damos lugar a la sanidad interior en nuestra vida. Así pasó con nosotros, fuimos confrontados con nuestro dolor, hablar de nuestros sentimientos dolió, pero al final trajo sanidad interior a nuestra vida.

> *"He aquí que yo les traeré sanidad y medicina; y los curaré, y les revelaré abundancia de paz y de verdad". Jeremías 33:6 RVR1960*

Mi mamá murió el 10 de diciembre, y mis hermanos y yo junto con nuestros esposos, decidimos pasar esa Navidad en una cabaña en la nieve, (como lo hicimos cuando murió Omar). Nunca olvidaré ese tiempo que pasamos juntos, en familia, dándonos el apoyo que tanto necesitábamos. ¡Dios fue muy bueno!

“CUANDO SE SUFRE
UNA PÉRDIDA
PENSAMOS QUE
TODO TERMINÓ,
PERO
LA VIDA CONTINÚA
¡REFÚGIATE EN DIOS!”

CAPÍTULO SEIS

ENFRENTANDO LA PÉRDIDA

CÓMO ENFRENTAR LA PÉRDIDA DE UN SER QUERIDO

Querido(a) amigo(a), lo más probable es que si tú estás leyendo este libro es porque has pasado por una pérdida significativa, y lo más seguro es que te hayas identificado conmigo en alguna parte de mi historia. Sé que hay preguntas en tu corazón, interrogantes acerca de qué hacer, de qué es normal y qué no, y de cómo será tu vida sin esa persona tan amada; es muy difícil tratar de ver hacia el futuro, cuando esa persona a la que tanto amamos ya no va a estar con nosotros.

Puedo afirmar que no hay una regla o una norma para medir el tiempo que durará el duelo o la forma de procesarlo; pero una cosa sí te puedo asegurar, *con Dios todo es mucho más fácil*, de Su mano una persona sí se puede llegar a recuperar después de una gran pérdida.

Definitivamente es necesario vivir el duelo, para poder sanar y avanzar con nuestra vida. Necesitamos darnos permiso de pasar cada etapa con la ayuda de Dios y de otras personas que puedan y quieran apoyarnos en el proceso. El dolor es muy grande e inevitable, no hay manera de no sentirlo, aunque quisiéramos tener una vacuna en contra de él, una pastilla milagrosa que nos anestesiara el dolor por siempre, no la hay, mientras más intentemos evadirlo, más tardaremos en recuperarnos.

Cuando partió mi hijo, ¡quedé devastada! Quebrada por dentro, yo pensaba que no me iba a recuperar jamás, que nunca volvería a disfrutar de todo lo que antes de su partida disfrutaba, cosas tan sencillas como disfrutar el mar, el sol, las flores, la comida, lo poco o lo mucho que la vida nos ofrece, la incertidumbre de no saber qué sería de nuestro futuro sin Omar, ¡era terrible! Mi familia estaba pasando por el peor momento, ¡necesitábamos a Dios más que nunca! No sabíamos qué hacer para recuperarnos; estábamos totalmente fragmentados, necesitábamos de la ayuda y la guianza de Dios para hacer lo que fuera necesario para sanar, recuperarnos y seguir adelante con nuestras vidas.

Dios nos ayudó y nos guío paso a paso, nos dio las herramientas que necesitábamos para reconstruir nuestras vidas; Él estuvo con nosotros en todo el camino porque se lo pedimos y se lo permitimos; Él fue nuestro sostén, nuestro soporte en los momentos en que pensábamos que ya no podríamos más, nuestro buen Padre que nos consoló y nos fortaleció hasta que pudimos salir a la otra orilla del duelo sin amargura ni resentimiento, sin culpabilidad y sin temor.

Diferentes, pero mejores que antes de nuestra pérdida, la vida tuvo un significado más grande y más valioso para nosotros después de esa experiencia tan dolorosa.

¡Y esto es posible para ti también!

Lo que quiero compartir a continuación es lo que aprendimos en el proceso de sanidad y restauración.

EXISTEN MUCHAS FORMAS DE EVADIR EL DOLOR

- Ocupándonos en muchas cosas, actividades, trabajo.
- Permaneciendo en la etapa de la negación y haciendo de cuenta que nada pasó.
- Tomando medicamentos fuertes para mantenernos fuera de la realidad o durmiendo.
- Haciendo una fantasía de nuestra pérdida y viviendo en ella.
- Tratar de anestesiarlo ingiriendo alcohol o alguna otra droga.
- Y puede haber muchas otras formas más.

Tratar de evadirlo nos afectará mucho más de lo que nos podemos imaginar.

William Shakespeare dijo: ***"dad palabra al dolor, el dolor que no habla, gime en el corazón hasta que lo rompe"***.

Podemos morir de dolor, y no solo físicamente, sino emocionalmente también. Podemos seguir "vivos", pero sin propósito, sin ilusiones, sin sueños, sin disfrutar de lo que sí tenemos pues solo estamos enfocados en la persona que se fue. Lo mejor que podemos hacer es sentirlo, el dolor nos conecta con nuestras emociones y es entonces que las podemos enfrentar para hacer algo con ellas, el dolor nos permite sentir la ausencia y el vacío que dejó la persona que se fue.

El dolor viéndolo desde este punto de vista no es tan malo, ¿verdad? Pero necesitamos saber qué hacer con él para hacerlo, pues de no ser así, el dolor se convierte en sufrimiento y es entonces cuando llevamos todas las de perder.

LA DIFERENCIA ENTRE EL DOLOR Y EL SUFRIMIENTO

Hay una gran diferencia entre el DOLOR Y EL SUFRIMIENTO. Como ya lo expliqué antes, el dolor es inevitable y es bueno si lo utilizamos para nuestro bien, pero el SUFRIMIENTO es opcional y nos puede llevar a vivir una vida enferma, amargada y resentida hasta que muramos.

El sufrimiento es permitir que el dolor se haga crónico, es transformar un momento en un estado, en pocas palabras es hacer un ÍDOLO de ese sentimiento, como una forma de no soltar a la persona que ya no está, de "serle fiel". Conozco a personas que no se permiten disfrutar de nada pues sienten que no es justo para la persona que ya no está, se sienten culpables si disfrutan y gozan de nuevo, toman la decisión de vivir amargados el resto de su vida, como muertos en vida, sintiendo lástima de sí mismos, estancados en esa terrible experiencia por decisión propia.

Decidir por el sufrimiento, es decidir por una manera enfermiza de vivir un duelo eterno que puede destruir a la persona y a quienes le rodean. ¡La elección siempre será nuestra!

UNA VEZ MÁS TENEMOS DOS OPCIONES

1. Acepto mi dolor y le pido a Dios que lo pase conmigo y me saque a la otra orilla, completa y lista para seguir adelante con mi vida y el propósito de Dios para ella.
2. Acepto mi dolor y decido vivir con él, el resto de mi vida, amargada y resentida con Dios y con el mundo.

La diferencia más grande entre el DOLOR y el SUFRIMIENTO es:

El dolor siempre tiene un final; en cambio el sufrimiento pudiera no terminar NUNCA. Es necesario que nos hagamos estas preguntas: ¿Qué quiero? ¿Sufrir el resto de mi vida sintiéndome víctima y haciendo sufrir a mi familia también, o llorar y desahogarme sanamente permitiéndome procesar el duelo con todo lo que él implica y así recuperarme para seguir viviendo, y no solo vivir porque estoy vivo(a) sino disfrutar de todo lo que Dios me permita mientras que esté vivo(a)?

Espero sinceramente que tu respuesta a esta pregunta sea recuperarte con la ayuda de Dios, porque de lo que tú decidas va a depender tu futuro y el de tu familia.

ETAPAS DEL DUELO

De acuerdo con los expertos, un duelo consta de cinco etapas:

1. La negación
2. La ira / enojo
3. Negociación (Culpabilidad)
4. Depresión (Tristeza profunda)
5. Aceptación

Y de acuerdo a mi experiencia, yo sí pasé por esas etapas, aunque unas las pasé más rápido que otras.

El tiempo y la forma de duelo, dependerá de la relación que tuviste con esa persona que se fue y de tu temperamento. Yo puedo constar que así ha sido en mi caso; aún en la pérdida de mi hijo, mi esposo y yo procesamos la pérdida de diferente manera, aunque los dos teníamos muy buena relación con él y lo amábamos entrañablemente, pero por tener diferente temperamento, también el proceso fue distinto.

Es muy importante que no tratemos de compararnos con la forma en que el resto de la familia procesa el duelo, o con otras personas que conocemos, pues como ya les dije, hay diferentes factores que determinan el proceso en cada miembro de la familia.

- **Debemos de ser respetuosos y tolerantes unos con otros en cuanto a esto.** Por lo regular cuando estamos pasando por una pérdida, nos volvemos intolerantes e irritables con los que nos rodean, ejemplo:

  Si la persona que murió no dejó un testamento, ni dejó instrucciones para su funeral, vamos a suponer que es un padre o una madre, –esto ocurre muy seguido–, los hijos, en la etapa del enojo, suelen pelear con sus hermanos por la toma de decisiones, discuten en cuanto a la funeraria, en relación a qué se hará con el cuerpo, si enterrarlo o cremarlo, si retener las cenizas o guardarlas en una Iglesia, quién se quedará con qué, y tantas otras cosas más; tristemente hay familias divididas por esta razón, se estancan en esa etapa por lo que se vuelven enemigos entre hermanos ¡de por vida!

- **No tratar de que todos hagan y sientan lo mismo que nosotros.**

  Suele suceder que, de acuerdo al temperamento, también reaccionamos y manejamos las emociones de forma distinta unos y otros, hay quienes lloran inconsolablemente, pero también hay quienes no, hay quien se encierran en su mundo y hay quienes buscan estar ocupados y activos para distraerse. No regañes ni juzgues a tu prójimo porque no demuestra su dolor como tú, créeme que el que no llore o no quiera participar en algo, no quiere decir que no le duele o que no le importe el ser que partió. Simplemente todos somos diferentes y manejamos el duelo de diferente manera.

- **Tampoco tratar nosotros de sentir y hacer lo que hacen y sienten los demás.**

  De pronto puedes sentirte mal y culpable por no reaccionar como tu esposo(a), hermano(a), padre o madre; enfócate en ti, deja de ver el proceso de los demás y vive el tuyo.

  El camino del duelo puede ser largo y muy doloroso, pero con la ayuda de Dios y de nuestros seres queridos se hará más fácil y sin duda tendrá un fin.

  No te desesperes, no trates de ponerle un tiempo o de darle una forma a tu duelo, tómalo un día a la vez, se paciente y amoroso(a) contigo mismo(a) y con los demás. Siempre existe una luz al final del túnel, si te das permiso de sentir y de vivir cada sentimiento hasta superarlo, saldrás de ese túnel completo(a) ¡sin que te falte nada!

  "Hay una temporada para todo, un tiempo para cada actividad bajo el cielo. Un tiempo para nacer y un tiempo para morir". Eclesiastés 3:1-2a NTV

"DIOS NOS DA LAS
HERRAMIENTAS PARA
RECONSTRUIRNOS
PARA VIVIR
SIN AMARGURA,
SIN RESENTIMIENTO,
SIN CULPA
Y SIN TEMOR"

Parte DOS

Los valles del proceso

CAPÍTULO SIETE

PRIMER VALLE: LA NEGACIÓN

Lo primero que viene a una persona que ha perdido un ser tan querido es la **NEGACIÓN**.

Recuerdo como si hubiera sido ayer las palabras que mi esposo mencionó por buen tiempo después de recibir la terrible noticia de la muerte de nuestro hijo: "No puede ser, no puede ser, no puede ser", ¡lo repetía una y otra vez! Mi hija por su parte gritó con todas sus fuerzas desde el suelo al que cayó de rodillas cuando le dieron la noticia, "¡Nooo! ¡Yo lo quiero aquí, lo quiero de vuelta!" Yo no podía hablar, pero en mi mente pensaba, "esto no es posible, debe de haber un error, esto no puede estar pasando, es mentira, estoy dormida, esto no puede ser más que una pesadilla."

Nos negamos a aceptar algo tan doloroso, como una manera de cambiar la realidad. Como les relaté en el capítulo tres, Rodrigo nuestro hijo menor, después de llorar y enojarse mucho cuando le dimos la noticia, parecía estar bien, pero lo que pasó fue que entró en la etapa de negación porque ahí se sintió seguro y protegido del dolor, eso le afectó enormemente.

Nosotros no lo sabíamos, estábamos tan adoloridos, aturdidos y quebrados que no podíamos pensar ni darnos cuenta de lo que estaba pasando con nuestro hijo.

Yo luché con aceptar la realidad hasta el día siguiente de la muerte de mi hijo. Cuando mi esposo, hija y amigos fueron a orar sobre su cuerpo y regresaron sin él, no tuve más remedio que aceptar que ya no estaba entre nosotros. Pero nuestro hijo menor se quedó en ese estado de negación por meses y eso le hizo mucho daño emocional y físicamente.

ES NECESARIO ACEPTAR LA REALIDAD

Por dolorosa y difícil que sea la realidad, tenemos que aceptarla, no debemos permanecer en negación, pues esto nos puede estancar en el proceso del duelo y repercutir en nuestra salud física y emocional.

Eclesiastés 3:11 dice:

> *"Todo lo hizo hermoso Dios en su tiempo; también ha puesto ETERNIDAD en el corazón humano, pero aun así el ser humano no puede comprender todo el alcance de lo que Dios ha hecho desde el principio hasta el fin."*

Todos quisiéramos vivir eternamente y, de hecho, viviremos eternamente, mas no en esta tierra; aquí estamos de paso, somos peregrinos y extranjeros, pero por causa de que Dios puso eternidad en nuestro corazón, nos cuesta mucho trabajo aceptar la muerte. Sin embargo, es sumamente importante que lo sepamos, creamos y aceptemos; no tenemos que entenderlo, es muy difícil tratar de entenderlo, pero debemos reconocer que Dios es soberano, Él sabe lo que hace y la razón por la que permite el dolor en nuestra vida.

Mientras más tardemos en aceptar la realidad de la muerte, más retrasamos el proceso de sanidad interior.

Mi esposo y yo hemos tenido la oportunidad de hablar, escuchar, aconsejar y consolar a muchos padres que han perdido a sus hijos; hemos tenido varios casos en los que los padres no vieron el cuerpo de su hijo pues lo desaparecieron, aunque la policía les había dicho que sus hijos estaban muertos, ellos estaban seguros (en el estado de negación) de que estaban vivos. Los puedo entender, mientras que no ves el cuerpo sin vida de tu hijo, es muy difícil aceptar que ha muerto; albergas la esperanza de que aparezca en cualquier momento, recuerdo haber hablado con una amiga muy querida a la que le desaparecieron a su hijo; cuando traté de darle mi apoyo, ella se molestó y me dijo que su hijo no estaba muerto, me preguntó: "¿quién te dijo esa mentira?", entendí lo que le pasaba y fingí que creía junto con ella que su hijo estaba vivo, que todo había sido un malentendido, pasaron muchos años antes de que ella aceptara la muerte de su hijo. Años que retrasó su duelo permaneciendo en el ***valle de la negación.***

En otros casos las madres buscan desesperadamente en la adivinación, en la lectura de cartas, con Mediums, el que les den alguna pista, alguna señal de que su hijo aún vive y está en algún lugar del mundo. Gastan mucho dinero y dejan de vivir la realidad en su búsqueda, con la esperanza de que su hijo(a) esté vivo y de encontrarlo. Es muy triste ver a estos padres y hermanos esperando a que su ser amado entre por la puerta de su casa en cualquier momento.

Como mencioné antes:

"La muerte para el creyente no es el fin, es solo una transición hacia la vida eterna, la muerte física realmente es el principio de nuestra eternidad con Dios y con nuestros familiares que se nos adelantaron en el camino."

> *"Y ahora, amados hermanos, queremos que sepan lo que sucederá con los creyentes que han muerto, para*

que no se entristezcan como los que no tienen esperanza. Pues, ya que creemos que Jesús murió y resucitó, también creemos que cuando Jesús vuelva, Dios traerá junto con él a los creyentes que hayan muerto. Pues el Señor mismo descenderá del cielo con un grito de mando, con voz de arcángel y con el llamado de trompeta de Dios. Primero, los creyentes que hayan muerto se levantarán de sus tumbas. Luego, junto con ellos, nosotros, los que aún sigamos vivos sobre la tierra, seremos arrebatados en las nubes para encontrarnos con el Señor en el aire. Entonces estaremos con el Señor para siempre. ***Así que anímense unos a otros con estas palabras".*** *1Tesalonicenses 4:13-14; 16-18 NTV*

"MIENTRAS
MÁS TARDEMOS
EN ACEPTAR
LA REALIDAD DE
LA MUERTE,
MÁS RETRASAMOS
EL PROCESO DE
SANIDAD INTERIOR"

CAPÍTULO OCHO
SEGUNDO VALLE: EL ENOJO Y LA IRA

¿Con quién nos enojamos? ¿Contra quién nos airamos?

Como el enojo y la ira son parte del duelo, tendemos a buscar con quien enojarnos; si la muerte fue ocasionada por alguien más, pues obviamente nos enojamos contra el agresor y queremos que pague por lo que hizo. Si la muerte fue por causas naturales, por enfermedad o por la edad, nos enojamos con la persona fallecida, porque nos abandonó y no se cuidó.

Si nuestro ser querido falleció en un hospital, nos enojamos con los médicos porque no lo salvaron. Si la muerte fue por un accidente, nos enojamos con el que provocó el accidente, y con Dios por permitir que muriera.

Una vez que acepté la realidad de que mi hijo había muerto, pasada la etapa de la negación, viví la etapa del enojo/ira. Venían pensamientos a mi mente de mucho coraje contra los jóvenes que habían de alguna manera provocado el accidente, quería que pagaran por su irresponsabilidad, tuve que luchar contra ese sentimiento. Después de todo, vivir privados de la libertad física, es a veces más llevadero que vivir la prisión emocional a la que se enfrenta una persona por haber causado la muerte de alguien más por irresponsabilidad.

Le reclamaba a Dios: "¿por qué, de todos los involucrados en el accidente, solo mi hijo murió?" A lo que Dios un día me respondió: "¿Y POR QUÉ NO?" Me sentí pequeñita con esa respuesta, pero me puso en mi lugar. Tenía razón. ¿Qué tenía yo de diferente o especial a las madres de los otros jóvenes? ¡NADA!

No fue fácil, salir de esa etapa, pero con la ayuda de Dios y mi esposo, lo logré. Conozco parejas que han terminado con su matrimonio al no poder salir de ella.

Me tocó ver un caso en especial de un niño que murió ahogado en una alberca, estando a cargo del papá, pues la mamá salió a comprar algo a la tienda, estaban en una reunión familiar, había muchos niños, como suele suceder, el papá estaba distraído platicando con los señores, el niño cayó al agua y nadie se dio cuenta, no sabía nadar y la tragedia sucedió. Cuando se percataron fue demasiado tarde, el niño no sobrevivió. Cuando llegó la mamá, se encontró con el cuerpo de su hijo sin vida. Aquello fue un caos, era un cuadro desolador. La mamá culpaba al esposo y el esposo la culpaba a ella por haberse ido. Esta pareja, que tenía otros dos hijos, no pudo salir de la etapa de enojo/ira, se culpaban el uno al otro y culpaban a Dios por haber permitido esa tragedia; aunque buscaron ayuda profesional, no pudieron salir de este valle; por tal motivo terminaron divorciados y hasta hoy viven amargados y resentidos por su pérdida, causándole un gran dolor a los hijos que aún tienen.

Eclesiastés 3:8 NTV dice que hay *"Un tiempo para amar y un tiempo para odiar. Un tiempo para la guerra y un tiempo para la paz"*.

Parte del proceso del duelo es el enojo y la ira, pero el libro de Eclesiastés nos dice, que hay un tiempo para la guerra, (las discusiones, las peleas, las ofensas); pero ese tiempo tiene que ser seguido por la paz y la reconciliación.

Efesios 4:26-27 NTV nos dice: *"Además, no pequen al dejar que el enojo los controle. No permitan que el sol se ponga mientras siguen enojados, porque el enojo le da lugar al diablo"*.

La Biblia nos advierte del peligro de permanecer enojados más de lo conveniente, es inevitable enojarnos; pero al igual que con el dolor, no debemos de permitir que el enojo y la ira nos controlen, pues eso dará lugar a cosas más peligrosas en nuestra vida. En mi experiencia les puedo decir que la solución o la cura contra esto, es el **PERDÓN**.

¿Recuerdas que te relaté en otro capítulo que, en mi enojo, le decía a Dios que no era justo que esos jóvenes se quedaran sin castigo, traté de argumentar y convencerlo de que lo mejor era levantar cargos contra ellos? Dios fue muy paciente conmigo, Él no me decía nada, hasta que un día, (me parece que se cansó de mi insistencia y necedad) me dijo: –¡Basta con esto!–, y me contestó con una pregunta: "Si hubiera sido tu hijo el que provocó el accidente, ¿qué pedirías para él? ¿JUSTICIA O MISERICORDIA?" Caí rendida y avergonzada ante Él y le contesté con el corazón en la mano y sin ninguna duda: –"MISERICORDIA SEÑOR". –Me contestó: –"Entonces da misericordia. En pocas palabras, perdona y suelta. Y todo lo que quieras que los demás hagan contigo, hazlo tú con ellos.

¿Fue fácil? Claro que no, pero cuando Dios me puso las cosas de esa manera, me pude poner en el lugar de las madres de esos muchachos, ¡eso lo hizo más fácil!

Otras veces hay personas que se enojan con ellas mismas pues no tienen contra quién enojarse, se juzgan y se condenan a sí mismas por la muerte de su ser querido. Ellas mismas se culpan de lo que sucedió, porque no encuentran a quién más culpar.

En un curso de Recuperación de Pérdidas que dimos mi esposo y yo, había una joven que había perdido a su mejor amigo. Él vivía solo y ellos trabajaban juntos, un día él no llegó al trabajo y no avisó que no iría, lo cual le pareció muy extraño. Saliendo del trabajo lo fue a buscar a su casa, y lo encontró sin vida, esa experiencia la tenía muy mal, sin ninguna razón ella se sentía culpable de la muerte de su amigo, tenía muchos argumentos en su propia contra para culparse, y cayó enferma, su cuerpo no podía con eso, duró mucho tiempo enferma, la diagnosticaron con *Trastorno de Estrés Postraumático,* (PTSD, por sus siglas en inglés). Lo que más la atacaba era la depresión, le costaba mucho trabajo levantarse para hacer lo indispensable; dejó de trabajar por nueve meses, no podía hacer nada, la depresión era más fuerte que ella, lloraba mucho, si hablabas con ella pensarías que acababa de ocurrir la muerte de su amigo, porque ella permanecía en ese momento, te lo platicaba como si hubiera sido ese mismo día.

Ella se atoró en las etapas del enojo/ira, culpabilidad y tristeza profunda a la misma vez, una combinación muy peligrosa, su familia, estaba muy preocupada por ella. Parecía que no saldría nunca de ese estado; pero gracias a Dios y al curso de Recuperación de Pérdidas, ella pudo hablar y sacar su dolor, entender que no era culpable, y perdonar a su amigo por haber muerto. Finalmente se recuperó, ¡hoy es una joven llena de vida, sana emocionalmente y recuperada de su pérdida!

¿Eso quiere decir que se olvidó de su amigo? ¡Para nada! Lo que quiere decir es que ahora ella lo recuerda sin dolor, recuerda los momentos vividos juntos, con alegría y agradecimiento a Dios por haberle permitido conocerlo y ser parte de su vida; la nostalgia la visita de vez en cuando, pero ya no permanece en ella, ¡gracias a Dios!

Conozco otro caso de una mujer joven que quedó viuda con 4 hijos. Su esposo duró mucho tiempo enfermo y murió de cáncer. Ella trabajaba para mantener a la familia y llegaba del trabajo a seguir trabajando en casa con sus cuatro hijos pequeños. Cuando murió su esposo, el hijo mayor tenía diez años, el menor tenía cuatro; ella estaba muy enojada con el esposo por haber enfermado y muerto dejándola sola con cuatro hijos, se atoró en la etapa del enojo/ira. De esta historia hace ya 20 años, ella sigue enojada con el que se le ponga enfrente; con su familia, sus amigas, compañeros de trabajo, con Dios, y con ella misma. Dios la ha bendecido con buenos hijos, un buen trabajo, muchas amigas que se preocupan por ella, pero ella no logra ver sus bendiciones, pues está estancada en el enojo, y no hay forma de sacarla de allí sin su voluntad. Se convirtió en una mujer amargada e infeliz, que por todo se queja y a todos critica, a su parecer ella es una víctima, así se percibe y así se describe con los que la rodean.

Volvemos al versículo de Efesios 4:26-27 NTV: *"Además, no pequen al dejar que el enojo los controle. No permitan que el sol se ponga mientras siguen enojados, porque el enojo le da lugar al diablo".*

El enojo prolongado, le da lugar al diablo y sus artimañas, nos ataca con todo tipo de flechas, para robarnos la paz, el gozo, la salud, las relaciones, las finanzas y finalmente la vida. Tenemos que hacer las paces con la persona que murió, con la persona que provocó la muerte, con nosotros mismos y sobretodo con Dios, para poder salir de esa etapa tan peligrosa.

No es fácil hacer esto solos, necesitamos de alguien que nos ayude a procesar el enojo de la manera correcta. Existen centros de apoyo para el que ha perdido a un ser querido, y también Iglesias que ofrecen este tipo de recursos para ayudar a quien lo necesite. No estás solo(a) en esto, créeme que hay muchísimas personas pasando por el mismo dolor y también personas que ya salieron de él dispuestas a ayudarte.

Cuando mi esposo y yo preparamos el material de Recuperación de Pérdidas para ofrecerlo en la Iglesia en la que somos miembros activos, no nos imaginábamos la cantidad de personas y la diversidad de casos que se presentarían en ese primer curso. Personas que estaban atoradas en alguna o varias de las etapas; por la pérdida de una madre, un padre, un hijo(a), un bebé que no llegó a nacer, un(a) hermano(a), un(a) amigo(a), un(a) esposo(a), un nieto(a); era abrumador ver el dolor y la necesidad tan grande que tenían de sanidad interior. Dios fue muy bueno, pudimos ver un antes y un después del curso.

Recuerdo como si fuera ayer, el último día del curso, hicimos un picnic en un parque muy bonito alejado de la ciudad, con un lago hermoso, muchos árboles, flores y plantas, era un día perfecto para hacer la actividad de cierre. Todos llegaron nerviosos, con sus caritas aún tristes; el curso expuso sus heridas, fue una preparación para la cirugía emocional de ese último día. Después de una corta plática acerca del tema, escribieron una carta diciéndole a su ser querido lo que no alcanzaron a decirle en vida. Algunos le pidieron perdón y otros perdonaron a esa persona que murió. Podíamos ver lo difícil que fue hacer esa actividad, pero también lo necesario que era para poder cerrar el círculo, y sacar lo que traían adentro que les estorbaba para poder avanzar. Llevamos unos globos enormes con helio, y les pedimos que se despidieran de su ser querido escribiendo en el globo esa despedida. Era doloroso ver sus caritas tristes y sus ojos llorosos; agarraban el globo, lo abrazaban como si fuera su ser querido, las lágrimas corrían por sus mejillas; cada persona se sentó en donde quiso, separados y cada quien estaba en lo suyo, cuando finalmente soltamos el globo, había personas a las que les costó más que a otras soltarlo, pero lo hicieron, entendiendo que no podían avanzar hacia el futuro, atorados en el pasado.

Fue liberador hacer eso; puedo decir que sus vidas cambiaron después de ese curso y de ese ejercicio, se veía en sus caras la libertad del duelo y la reconciliación con su pasado.

Después de ese ejercicio, pudimos comer y convivir en armonía y en paz; esa paz, que como dice la Biblia, "sobrepasa todo entendimiento." Que no la podemos entender con nuestra mente, pero la podemos sentir en nuestra alma y corazón. Es como si nos quitaran una tonelada de peso que venimos cargando y quedamos livianitos, para poder no solo caminar y avanzar, sino también correr y disfrutar del viaje de la vida que aún tenemos por delante.

El apóstol Pablo lo pone de esta manera en Filipenses 3:13-14 NTV:

> *"No, amados hermanos, no lo he logrado, pero me concentro únicamente en esto: olvido el pasado y fijo la mirada en lo que tengo por delante, y así avanzo hasta llegar al final de la carrera para recibir el premio celestial al cual Dios nos llama por medio de Cristo Jesús."*

Esto no quiere decir que olvidaremos a esas personas tan amadas por nosotros; pero sí que los recordaremos sin dolor, con amor y agradecimiento en nuestros corazones por haber sido parte de nuestra vida aquí en la tierra, y sobre todo con la seguridad y la esperanza de que los volveremos a ver.

“¿JUSTICIA O MISERICORDIA? ¿QUÉ PEDIRÍAS PARA TI? TODO LO QUE QUIERAS QUE LOS DEMÁS HAGAN CONTIGO, HAZLO TÚ CON ELLOS”

CAPÍTULO NUEVE

TERCER VALLE: LA CULPA

¿A quién culpamos?

La culpa es un sentimiento que aparece como parte del duelo, y no solo en el duelo por la pérdida de un ser querido por causa de muerte, sino también cuando se pierde un matrimonio, o cualquier otra relación significativa en nuestra vida.

La culpa viene a nosotros como parte del proceso del duelo, ¿y a quién culpamos? Al que se fue, al que "ocasionó" la muerte, al médico, al cónyuge, a nosotros mismos, a Dios. Tendemos a buscar un culpable. La culpa es terrible para el que la recibe, es un sentimiento destructivo que, si no lo manejamos adecuadamente, puede terminar con él/la que la carga.

Los primeros días después de la partida de nuestro hijo, yo pensaba, que hubiera podido evitar su muerte, pensaba, –si hubiera salido con él de compras como él quería–, me sentía culpable por no haber hecho algo para que las cosas hubieran sido distintas.

Después volqué toda la culpa sobre los jóvenes que provocaron el accidente con su irresponsabilidad, batallé bastante con ese sentimiento, yo quería que ellos pagaran por la muerte de mi hijo; después de todo, ellos me habían privado de verlo crecer, casarse, tener hijos y realizarse en la vida, – tenían que pagar por mi dolor y mi pérdida.

En los cursos de "Sanando la pérdida de un ser querido", cuando nos sentamos en círculos para hablar acerca de los sentimientos, no hay una sola persona que no batalle con la culpa propia o culpando a alguien más. Podemos ver como la cara de la persona que está hablando se transforma al pensar o hablar de él o la culpable de la muerte del ser querido.

No hay nada que pueda quitar la culpabilidad más que el PERDÓN. El perdón tiene el PODER de liberarnos de la culpa propia, y liberarnos de cargar toda la vida con el rencor y resentimiento de quien nosotros consideramos que es culpable de nuestra pérdida.

El retener el perdón nos envenena lentamente el alma y aún el cuerpo sin saberlo. Llegamos a pensar que el culpable no merece el perdón y probablemente sea verdad, si es que hubo un culpable; posiblemente el culpable ni siquiera reconozca que lo es. Pensamos que, al retener el perdón estamos castigando de alguna manera al causante de nuestra pérdida; sin darnos cuenta de que nos estamos envenenando a nosotros mismos. Poniéndolo de otra forma, retener el perdón es como comprar una botella de veneno, pero en lugar de dársela a tomar a "nuestro enemigo" nos la tomamos nosotros mismos, poco a poco, dosis por dosis, y ese veneno nos va matando lentamente.

En el mismo momento en el que tomamos la decisión de odiar al culpable de nuestra pérdida, nos convertimos en su esclavo; esa persona se levanta, se acuesta y camina con nosotros, no podemos dejar de pensar en ella, y nuestro caminar se vuelve lento y muy pesado. El resentimiento produce hormonas estresantes en nuestro cuerpo y sufrimos de fatiga, esa persona nos acosa en la mente, no importa qué tan lejos o cerca estemos de ella. Le damos a esa persona el control de nuestra vida.

La culpabilidad es una puerta muy peligrosa de abrir; al abrirla le damos entrada a culpas pasadas, le permitimos a ese sentimiento atormentarnos con pensamientos destructivos de cosas que hicimos o dejamos de hacer con el ser querido que se fue. Vienen a nuestra mente los: – si hubiera o, si no hubiera – y allí podemos permanecer interminablemente, cuestionándonos lo que ya no tiene caso ni pensar.

Como seres imperfectos que somos, cometemos errores en nuestro transitar por esta tierra, aciertos y desaciertos son parte del crecimiento y el desarrollo del ser humano. No debemos atormentarnos con lo malo, lo que debemos hacer es aprender de nuestros errores y verlos como lecciones de vida para no pasar más por ese camino.

> *"Todos fallamos mucho. Si alguien nunca falla en lo que dice, es una persona perfecta, capaz también de controlar todo su cuerpo". Santiago 3:2 NVI*

PARTE DE LOS EFECTOS DE LA CULPABILIDAD PUEDEN SER:

- Discapacidad para funcionar bien en nuestro presente.
- Depresión.
- Opresión.
- Remordimiento.
- Insatisfacción.
- Incapacidad para ver y pensar claramente.

Cada uno de estos efectos son como los lobos, listos para despedazarnos hasta quedar completamente quebrados.

LA CULPA NOS PRIVA DE LA LIBERTAD CON LA QUE FUIMOS CREADOS:

- Libertad para crecer y madurar normalmente.
- Libertad para amar y recibir amor.
- Libertad para disfrutar de todo lo que Dios en su infinito amor nos regala cada día.

Puedes lamentar el pasado, pero a través del perdón puedes ver hacia adelante y ¡esperar un futuro increíble! La palabra de Dios es la clave para curar, sanar y crear algo completamente nuevo.

> *Olviden las cosas de antaño; ya no vivan en el pasado. ¡Voy a hacer algo nuevo! Ya está sucediendo, ¿no se dan cuenta? Estoy abriendo un camino en el desierto, y ríos en lugares desolados". Isaías 43:18-19 NVI "*

¡Wow! Hermosa palabra, promesa de Dios para ti y para mí, Él abrirá camino en el desierto y ríos en nuestra soledad, lo que nosotros no podemos hacer – ¡Él lo hará! – Lo que nosotros SÍ podemos hacer es dejar de atormentarnos con lo malo que hayamos hecho o dejado de hacer con nuestro ser querido. Decidir perdonar, al culpable si es que hay un culpable y hacer las paces con nuestro pasado para así poder avanzar hacia el futuro que Dios tiene para nosotros.

¡UNA PUERTA ABIERTA TE ESPERA!

La decisión es tuya, puedes permanecer en el mismo lugar lamiéndote las heridas, y sufriendo el dolor que la culpa te causa, o decidir perdonar y perdonarte a ti mismo, dejando el pasado culposo atrás extendiéndote hacia adelante, hacia lo que Dios tiene preparado para ti.

Decide entrar por la puerta que te llevará hacia la libertad.

Puedes hacer esta oración:

"Señor Jesús, te pido perdón por mis pecados, la culpa me está matando, reconozco que he pecado contra ti, al retener la culpa, de ______________________ y la culpa propia, al hacerlo me estoy poniendo en el lugar de juez, y yo no soy juez, Tú eres un juez justo, que NO nos das conforme a nuestras faltas, sino conforme a tu misericordia, reconozco que te necesito como mi Salvador y mi Señor, acepto tu sacrificio en la cruz por mis pecados y los del mundo, te entrego mi culpa, lávame Señor, hazme libre conforme a tu misericordia, yo decido soltar en este momento la culpa que he estado cargando por tanto tiempo, y también decido perdonar a ______________________ (pon el nombre de la persona a quién culpas), le suelto en este momento, me declaro libre en el nombre de Jesús, gracias Dios por tu perdón."

Quien llevó Él mismo nuestros pecados en su cuerpo sobre el madero, para que nosotros, estando muertos a los pecados, vivamos a la justicia; y por cuya herida fuimos sanados". 1Pedro 2:24 RVR1960 "

Nuestro corazón necesita ser sanado, y el **PERDÓN** es la puerta a la sanidad del alma.

"LA CULPA
NOS PRIVA DE
LA LIBERTAD
CON LA QUE FUIMOS
CREADOS,
EL PERDÓN ES
LA PUERTA A
LA SANIDAD
DEL ALMA"

CAPÍTULO DIEZ

CUARTO VALLE:
LA TRISTEZA Y LA AFLICCIÓN

El diccionario define la palabra tristeza como un sentimiento de dolor anímico producido por un suceso desfavorable que suele manifestarse con un estado de ánimo pesimista, la insatisfacción y la tendencia al llanto. Y la aflicción como un profundo sentimiento de tristeza, pena, dolor o sufrimiento.

Yo defino la tristeza y la aflicción como una nube negra que se posa sobre mi cabeza, que todo lo nubla y lo oscurece, siento una fatiga emocional y mental que me impide pensar con claridad y no me permite tomar decisiones básicas, sencillas, mucho menos decisiones importantes; y sí, estoy de acuerdo con la definición del diccionario, altera mi estado de ánimo, me provoca un dolor físico, me duele el corazón, pero más que físico, un dolor muy profundo en el alma, y ese dolor me impide ver todo lo bueno y hermoso que tengo; sí, también me provoca un pesimismo terrible, nada me satisface, nada me hace feliz y siento muchas ganas de llorar y de aislarme.

¿Cómo no estar triste y afligido cuando no vas a ver más a esa persona que tanto amas? ¿Cómo no vas a llorar y ser pesimista en cuanto a tu futuro? Estuve triste y afligida por mucho tiempo, no puedo decir cuánto, pues mentiría, pero sí sé que fue mucho tiempo, recuerdo que algunas amigas y también familia me decían: "Ya no eres la misma, ¡tus ojos reflejan mucha tristeza!" Y cómo podría ser la misma después de la muerte de mi hijo, imposible ser la misma; lo que sí puedo decir es que, con la ayuda de Dios, mi familia y amigas, me pude recuperar, pero yo no soy ni seré jamás la misma persona.

La tristeza es normal cuando hemos vivido un suceso tan terrible como lo es la muerte de un ser tan querido, es un estado del alma que no nos gusta, que quisiéramos a toda costa evitar y no sentir; pero es necesario aceptarla y vivirla para poder pasar sanamente el duelo.

A veces pensamos que por tener un liderazgo y tener a personas bajo nuestro cuidado y responsabilidad, no podemos ser vulnerables y que tenemos que presentarnos como súper héroes que no lloramos ni nos quebramos ante nada. ¡Qué error tan grande! Escuchamos a personas muy bien intencionadas, pero totalmente ajenas a nuestro dolor y al proceso de un duelo, decirnos: "No llores, tienes que ser fuerte para tus hijos, para tu madre, para tus seguidores, para... ¿...?" "Ya pasó mucho tiempo, YA SUPÉRALO".

Jesús mismo lloró ante la muerte de su amigo Lázaro. Él siendo Dios, mostró sus emociones delante de la gente. ¿Quiénes somos nosotros para no hacerlo?

> *"Cuando Jesús la vio llorando (a María, la hermana de Lázaro) y vio a la gente lamentándose con ella, se estremeció en su interior y se conmovió profundamente. ¿Dónde lo pusieron? Preguntó. Ellos le dijeron: Señor, ven a verlo.* ***Entonces Jesús lloró****". Juan 11:33-35 NTV*

El reprimir nuestras emociones es lo que nos lleva a enfermarnos físicamente y también emocionalmente. Dios puso las emociones en el ser humano para nuestro beneficio y no debemos reprimirlas pues el hacerlo puede traer consecuencias fatales a nuestra salud.

Mi esposo y yo platicábamos mucho acerca de cómo nos sentíamos y de cómo extrañábamos a nuestro hijo. Llorábamos y orábamos juntos pidiéndole a Dios que nos ayudara, que consolara nuestros corazones, que pegara los pedazos rotos y nos hiciera completos de nuevo. No fue fácil ni rápido, pero Dios pasó el valle de la tristeza a nuestro lado. Él no permitió que la tristeza se estacionara en nuestras vidas; pudimos superarla y fue bajando de grado, de tristeza profunda a nostalgia, nos dimos permiso de estar tristes, de sentir el dolor y todo lo que la tristeza trae con ella.

Fue muy bueno hacerlo, poco a poco fuimos saliendo de ese valle y pudimos prepararnos para lo que seguía. No nos apresuramos a nada, queríamos estar bien y sabíamos que era necesario procesar cada etapa del duelo para poder superarlo.

Es importante desahogarnos con alguien que pueda empatizar con nosotros; no nos tienen que dar consejos; personas que no nos impidan llorar con libertad y que nos permitan quejarnos si es necesario; que simplemente nos escuchen y ofrezcan su hombro para recargarnos en él. Piensa en alguien con quien puedas hacerlo, es muy importante para tu recuperación.

Si es necesario, dile a esa persona, que no tiene que hacer nada, solo escucharte y permitirte llorar. A veces las personas no saben qué hacer ni que decir, pero el simple hecho de estar ahí, escuchando y ofreciendo su hombro para llorar sobre él, es de grande ayuda para el que está pasando por el duelo.

Cuando no nos permitimos llorar y estar tristes, cuando retrasamos ese proceso, va a llegar un momento en que saldrá de la peor forma y entonces sí, será tan profunda la tristeza que le dará lugar a la depresión en nuestra vida y para salir de allí no será nada fácil ni rápido. Es importante aceptar la tristeza, buscar y emplear soluciones ante las situaciones que genera la tristeza.

Es también esencial buscar consuelo, en otras personas que puedan comprendernos y ayudarnos; es bueno buscar a alguien que pasó por lo mismo y ya salió, qué ya está del otro lado y nos puede guiar de acuerdo a su experiencia.

Aunque la tristeza y la depresión tienen características semejantes, la depresión es una enfermedad psicológica de carácter neuroquímico que surge porque el individuo se encuentra en un estado de profunda tristeza o angustia por largo tiempo.

Una persona con depresión presenta el sistema nervioso y neurológico deteriorado, lo cual le impide afrontar situaciones normales de la vida diaria que pueden ser superadas fácilmente por cualquier persona. Por lo tanto, es importante que la persona con depresión busque la ayuda médica para recibir un diagnóstico y pueda seguir un tratamiento que le ayude a seguir adelante (palabras del Neurólogo).

Ese fue el caso de nuestro hijo menor; al estancarse en la etapa de la negación, desencadenó los ataques de ansiedad y pánico, luego se manifestó el dolor de su alma en su cuerpo, causándole un dolor muy fuerte en sus piernas, al grado de tener que recibir morfina para el dolor, y ni eso le ayudaba. Los médicos decían: "El dolor es real, más no existe una causa médica para él."

Después vino la tristeza profunda, seguida por la depresión, al grado de que le costaba trabajo levantarse de la cama; hacer lo más mínimo le costaba un enorme esfuerzo.

> *"El corazón alegre es una buena medicina, pero el espíritu quebrantado consume las fuerzas".* Proverbios 17:22 NTV

Todos los días eran grises para él, nada le animaba, nada lo distraía, no tenía ningún tipo de ilusión; era terrible para mi esposo y para mí verlo en ese estado, sentíamos que no solo habíamos perdido a un hijo sino a dos, pues Rodrigo no tenía deseos de vivir; aunque nunca nos lo dijo con esas palabras, su condición nos gritaba eso. Hasta que recibió la ayuda con mucho amor, paciencia, oración y atención médica, él pudo salir de ese estado y seguir adelante con su vida.

> *"Todos los días del afligido son difíciles".* Proverbios 15:15a RVR60

La tristeza es parte del duelo, es una parte muy importante y muy real, debemos atravesarla, no negarla, para no estancarnos en ella. También es necesario comenzar poco a poco a realizar actividades agradables que ayuden a equilibrar el sistema emocional. Tratar de salir del encierro, y darnos permiso de distraernos, de disfrutar poco a poco lo que antes disfrutábamos.

En mi caso, soy una persona muy amigable y sociable, me gusta estar con otras personas, suelo disfrutar de las cosas más insignificantes, así como de las más significativas; tengo la bendición de tener muchas amigas y tengo una excelente relación con mis hermanos, disfruto mucho estar con ellos.

Cuando murió Omar, no tenía ganas ni humor de estar en reuniones sociales, solo quería estar con mi familia y con personas que podrían guiarme en mi proceso; con ellos pasaba mi tiempo.

Aunque el mundo y sus habitantes no se detuvieron –como yo hubiera querido– hasta que yo saliera del valle del duelo, yo sí me detuve; hice una pausa en mi calendario social y ministerial, me dediqué a buscar mi sanidad interior. Así de rota como estaba, no podía ayudar a nadie, ni ser una buena compañía para nadie. Pero cuando fue el tiempo, comencé poco a poco a reintegrarme a la sociedad, a participar en lo que antes participaba, fue como les digo, poco a poco, hasta que llegó un momento en el que ya disfrutaba como antes esas reuniones.

Algo que me ayudaba mucho era ir a la playa, siempre me ha gustado mucho el mar; cuando voy sola es cuando más acompañada me siento, pues mi Dios qué es tan grande, es mi compañero; esos momentos en la playa me hacen darme cuenta de que estoy viva, mis cinco sentidos se activan al mismo tiempo y me siento renovada, fortalecida y VIVA. Ver el inmenso mar que no se sale de los límites que Dios le puso, ver las olas quebrarse antes de traspasar esos límites me hacen darme cuenta de lo grande que es Dios y del inmenso poder que Él tiene, puedo estar segura de que está en control absoluto de TODO, de alguna manera saber y creer que todo estará bien.

> *"Les he dicho todo lo anterior para que en mí tengan paz. Aquí en el mundo tendrán muchas pruebas y tristezas; pero anímense, porque yo he vencido al mundo". Juan 16:33 NTV*

En esos momentos puedo hablar con Dios sin distracciones ni interrupciones, puedo llorar con Él, desahogarme y ser totalmente vulnerable sin ningún tipo de reservas, puedo también escucharle y recibir su consuelo.

"Bienaventurados los que lloran, porque ellos recibirán consuelo". Mateo 5:4 RVR60

Incorporar ejercicio a la rutina diaria es muy bueno, no sé cuál sea tu deporte favorito, o qué tipo de ejercicio te guste practicar, a mí me gusta mucho jugar tenis, a mi esposo también, así que los dos nos íbamos mínimo una vez a la semana a jugar tenis juntos, después una pareja de amigos se agregaron y lo llegamos a disfrutar mucho. También me iba a caminar; el contacto con la naturaleza y el ejercicio fueron muy buenos para mi recuperación.

Si no estás casado(a), y no te gusta hacer ejercicio solo(a), invita a un(a) amigo(a) para que te acompañe a caminar, a ir al gimnasio, a las tiendas, a donde se te antoje. Ser intencional es sumamente importante para tu recuperación, no esperes a que alguien te busque, a veces las personas no saben qué es lo que queremos o necesitamos, y si no se lo decimos, no pueden hacer nada; no es que no te quieran ayudar, es simplemente que no saben cómo y no quieren ser imprudentes, que no te de vergüenza pedir ayuda.

Únete a un grupo de apoyo, existen grupos de apoyo en algunas Iglesias, le llaman "Recuperación de duelo", es muy importante para tu recuperación que puedas desahogarte y ser vulnerable.

"LA TRISTEZA ES UNA EMOCIÓN QUE NOS HACE VULNERABLES, DEBEMOS ENFRENTARLA, NO NEGARLA PARA NO ESTACIONARNOS EN ELLA. ¡SE LIBRE DE LA AFLICCIÓN!"

CAPÍTULO ONCE

QUINTO VALLE: LA DECISIÓN, LA ACEPTACIÓN

El último valle fue el valle de la decisión, Joel 3:14 NTV: *"Miles y miles esperan en el valle de la decisión. Es allí donde llegará el día del Señor".*

Llegó el momento de tomar la decisión:

1. Seguir llorando y lamentándome por mi pérdida, sintiendo lástima de mí misma viviendo mi vida amargada y resentida con Dios y con el mundo.
2. O salir del duelo y aceptar la realidad de que Omar ya no estará más presente entre nosotros y decidir estar contenta con esa realidad.

Recuerdo muy bien ese día, después de orar juntos mi esposo y yo, nos dimos cuenta de que ya era el momento; de pronto vi la luz del sol brillar como antes, sentí que se había levantado la nube de sobre mi cabeza, sentí una energía y un ánimo sobrenaturales que sólo podían venir de Dios.

Se me vino a la mente la Escritura de Isaías 60:20 NTV: *"Tu sol nunca se pondrá; tu luna nunca descenderá. Pues el Señor será tu luz perpetua. Tus días de luto llegarán a su fin".*

¡Wow! No podía creer lo que me estaba pasando, la Escritura cobraba vida en mí, era maravilloso volver a sentir alegría y paz; esa paz que te da la aceptación, paz con Dios y con la realidad, esa paz en tu interior que no hay manera de entenderla con la mente. Sentí que ya estaba lista para de nuevo hacer planes para el futuro y gozarme con las cosas pequeñas, así como con las grandes que sucedían a nuestro alrededor, era algo que yo anhelaba, que ya estaba allí. ¡Ese sentimiento era demasiado bueno, los días de luto llegaron a su fin!

> *"El Espíritu del Señor está sobre mí, porque me ungió Dios; me ha enviado a predicar buenas nuevas a los abatidos, vendar a los quebrantados de corazón, publicar libertad a los cautivos, y a los presos apertura de la cárcel; proclamar el año de la buena voluntad de Dios, y el día de venganza del Dios nuestro; a consolar a todos los enlutados; ordenar que a los afligidos de Sion se les dé gloria en lugar de ceniza, óleo de gozo en lugar de luto, manto de alegría en lugar del espíritu angustiado; y serán llamados árboles de justicia, plantío de Dios, para gloria suya. Reedificarán las ruinas antiguas, levantarán los asolamientos primeros, y restaurarán las ciudades arruinadas, los escombros de muchas generaciones". Isaías 61:1-4 RVR60*

¡Qué Escritura más hermosa y liberadora! Eso pasó con nosotros ese día, fueron nuestras buenas nuevas, Él vendó y sanó nuestros corazones quebrados, nos liberó de la cautividad del luto, nos sacó de la prisión del dolor, de la tristeza y la aflicción. ¡El año de la buena voluntad de Dios había llegado! Él ordenó a nuestro corazón afligido que recibiera gloria en lugar de ceniza, aceite de gozo en lugar de luto y manto de alegría en lugar del espíritu angustiado, nos dio la tarea de reedificar y restaurar nuestra vida y familia, nos dio las fuerzas y la energía necesarias para hacerlo. ¡DIOS ES BUENO! No hay ninguna duda, su Palabra es verdad, sus promesas son fieles y verdaderas, son eternas y son en Él sí y en Él amén para los que le amamos.

¿Esto quiere decir que nos olvidamos de nuestro hijo y dejamos de extrañarlo? ¡NO! Jamás lo olvidaremos y jamás dejaremos de extrañarlo, él está muy presente en nuestra vida, en nuestros pensamientos y recuerdos, hablamos de él cuando viene al caso, con nostalgia, pero ya sin dolor, sin tristeza. ¿Quisiéramos que estuviera con nosotros? Por supuesto que sí, pero ya aceptamos la voluntad de Dios y decidimos estar contentos con esa decisión.

Dios es soberano y conoce todas las cosas, solo Él sabe por qué permitió que nuestro hijo se nos adelantara a su casa; somos peregrinos y extranjeros en esta tierra, nuestro hogar y ciudadanía esta en el cielo como dice la Escritura: *"En cambio nosotros somos ciudadanos del cielo, donde vive el Señor Jesucristo". Filipenses 3:20 NTV* Es allí donde nos volveremos a encontrar y a abrazar, ¡para no separarnos jamás!

> *"Y ahora, amados hermanos, queremos que sepan lo que sucederá con los creyentes que han muerto, para que no se entristezcan como los que no tienen esperanza. Pues, ya que creemos que Jesús murió y resucitó, también creemos que cuando vuelva, Dios traerá junto con él a los creyentes que hayan muerto". 1Tesalonicenses 4:13-14*

Estoy completamente segura de esto: sé que sé, que volveré a ver a mi hijo amado ese encuentro será maravilloso, ese abrazo será muy, pero muy prolongado, así como los abrazos que él me daba aquí en la tierra. Pero mientras que ese momento llega, sigo disfrutando a mis hijos, nietas y esposo que tengo conmigo, no desperdicio ni un solo momento de mi vida pensando en lo que pudo ser; lo que, sí fue, es que fue demasiado hermoso y bueno, en eso sí pienso; en todos los momentos felices que pasamos juntos.

> *"Por lo demás, hermanos, todo lo que es verdadero, todo lo honesto, todo lo justo, todo lo puro, todo lo amable, todo lo que es de buen nombre; si hay virtud alguna, si algo digno de alabanza, en esto pensad". Filipenses 4:8 RVR1960*

Vale la pena hacer caso a la Palabra, está llena de sabiduría y revelación de la voluntad de Dios para nosotros.

Puedo decirte que hoy, mi familia está bien, pasamos los valles de la mano de Dios y salimos al otro lado, enteros, completos, sin que nos falte absolutamente nada. ¿Qué fue fácil? NO. ¿Rápido? TAMPOCO. Pero con las herramientas que les relato en esta historia real, con la ayuda de DIOS principalmente, la de la familia y amigos, pudimos salir COMPLETOS al otro lado del duelo; hoy estamos más unidos que nunca como familia, seguros de nuestra misión aquí en la tierra, y listos para lo que sigue, para lo que Dios tiene para nosotros. ¡Sin duda, tomamos la mejor decisión!

Hoy nuestra relación con Dios es más fuerte que nunca, no tenemos ninguna duda de que su Palabra es verdad, que sus promesas son en Él sí y en Él amén para los que le amamos, tiene el poder para sanar, restaurar y fortalecer nuestra vida. Estamos completamente seguros de su amor incondicional, su fidelidad y misericordia, la seguridad de su protección y su amor son nuestro escudo y nuestra fuerza.

Querido amigo(a), permítele a Dios que consuele y restaure tu corazón herido, fracturado por tu pérdida, está cerca de ti, Él está cerca de los quebrantados de corazón.

> *"Está cerca de los que tienen quebrantado el corazón; Él rescata a los de espíritu destrozado". Salmos 34:18 NTV*

Él quiere vendarte, sanarte, restaurarte y atravesar este valle contigo, déjale hacerlo, Él te ama y desea que estés bien, no estás solo(a) en esto, clama a Él y Él te responderá: Jeremías 33:3 RVR1960

Dios tiene planes de bien para ti y para tu familia, no permitas que tu vida se desperdicie, decide hoy entregarle tu corazón a Jesús, hazlo el Señor de tu vida, no te arrepentirás de esa decisión, anhela que lo conozcas como todo lo que Él es para ti: tu Salvador, tu consolador, tu libertador, tu consejero, tu amigo, tu ayudador, tu proveedor, tu sanador, tu protector, tu abogado y tu defensor. Murió en la cruz por ti y por mí, cada gota de su sangre compró tu libertad y la mía, Él está tocando en este momento a la puerta de tu corazón, como el caballero que es, está esperando que le invites a entrar, es tu decisión, la más importante de tu vida.

> *"He aquí, yo estoy a la puerta y llamo; Si alguno oye mi voz y abre la puerta, entraré a él y cenaré con él, y él conmigo". Apocalipsis 3:20 RVR1960*

Él te quiere sacar del pozo de la desesperación, poner tus pies sobre la peña, quiere que vivas tu vida a plenitud, y que disfrutes cada segundo de ella. Te invito hoy a tomar esa decisión, lo único que tienes que hacer es esta oración con todo tu corazón:

> "Señor *Jesús, te doy gracias por morir en la Cruz por mí, por tomar mi lugar y pagar mi deuda; te entrego mi corazón y mi vida, te pido que la hagas de nuevo, te necesito; te pido perdón por mis pecados, te pido que me ayudes a caminar en tu voluntad; sáname, restáurame y úsame Señor.*"

Si hiciste esta oración con todo tu corazón, puedes estar seguro(a) de que tu vida jamás será la misma, Dios mismo ha tomado el timón de tu vida, no volverás a estar solo(a), Él guiará tus pasos hacia un lugar seguro, no importa lo que suceda, Él está en control y tu estarás bien.

Podrás decir como el Salmista, *"Puse en el Señor toda mi esperanza; se inclinó hacia mí y escuchó mi clamor. Me sacó del pozo de la desesperación, del lodo y del pantano; puso mis pies sobre una roca, me plantó en terreno firme, puso en mis labios un cántico nuevo, un himno de alabanza a nuestro Dios". Salmos 40:1-3 NVI*

“EL DOLOR
ES INEVITABLE,
EL SUFRIMIENTO
ES OPCIONAL,
¿QUIERES VIVIR TU
VIDA SUFRIENDO?
DECIDE HOY POR DIOS,
SUS PENSAMIENTOS
SON DE BIEN PARA TI,
ÉL TIENE EL CONTROL
DE TODAS LAS COSAS”

SOBRE LA AUTORA

Laura López es esposa, madre, abuela, consejera, autora, conferencista, maestra bíblica, con más de 20 años de experiencia trabajando con mujeres y matrimonios en "*La Roca, Comunidad Cristiana*", en San Diego California y Tucson Arizona, también es Corredora de Bienes Raíces.

Laura comparte conferencias para mujeres, con diferentes temas relevantes para la mujer actual. Ella y su esposo Mike son conferencistas de temas para el matrimonio y la familia, comparten en seminarios y retiros matrimoniales. No hay cosa que disfruten más, que ver los cambios en las personas y matrimonios después de compartir con ellos acerca de los principios de Dios para la familia; también han impartido juntos, cursos para Recuperación de Pérdidas. Ellos residen actualmente en la ciudad de San Diego, California, y juntos sirven en "*La Roca, Comunidad Cristiana*".

Información de contacto:

autoralauralopez@gmail.com

520-631-7876